VOLTAIRE

From a portrait by La Tour

VOLTAIRE

ZADIG

AND OTHER STORIES

Chosen and Edited
with an Introduction
Notes, and a Vocabulary by
IRVING BABBITT

D. C. HEATH AND COMPANY

NEW YORK   BOSTON   CHICAGO   ATLANTA
      DALLAS   SAN FRANCISCO   LONDON

INTRODUCTION*

VOLTAIRE writes in 1768 regarding an edition of his works in forty-five quarto volumes that had just appeared: "Lorsque je considère tous ces énormes fatras que j'ai composés, je suis tenté de me cacher dessous et

---

*Biography. — The events of Voltaire's life in barest outline are as follows: François-Marie Arouet who assumed later the name of Voltaire, was born at Paris 21 Nov., 1694. — Becomes a pupil at the Jesuit Collège Louis-le-Grand, 1704. — Frequents the society of the *Temple* and for a number of years leads the life of a libertine of the Regency. — Accused of libelling the Regent and confined for eleven months in the Bastille, 1717. — His tragedy *Œdipe* is performed with great success, 1718. — Publishes at Rouen the first edition of his epic poem *La Ligue*, afterwards called *La Henriade*, 1723. — Quarrels with the Duc de Rohan who hires men to waylay and beat him, 1725. — Voltaire wishes to fight a duel with his insulter but the Rohans have him arrested and put into the Bastille, 1726. — Released after a short confinement on condition that he go to England. — Spends nearly three years in England where he is welcomed by the best English society, Bolingbroke, Pope, Swift, etc., 1726–1729. — Immense success at Paris of V.'s tragedy *Zaïre* which shows influence of Shakespeare, 1732. — Writes his *Histoire de Charles XII*, 1731. — Publishes his *Lettres sur les Anglais* or *Lettres philosophiques* (1734), in which under cover of describing English society V. attacks the abuses of French society and government. — The government orders the work burned by the public hangman and V. is forced to go into concealment. — Enters into a *liaison* with Madame du Châtelet and spends a great part of the years following with her at her Château de Cirey. — First perform

iii

je demeure tout honteux. . . . J'ai toujours dit qu'on n'allait pas à la postérité avec un aussi gros bagage." Posterity, as Voltaire foresaw, has made its selection ; but this selection has scarcely been the one he would have anticipated. The *Henriade* which seemed to Frederick the Great superior as an epic to the Aeneid is forgotten. The tragedies which in the eyes of contemporaries were worthy to rank with those of Corneille and Racine have retained little more than a historical interest. The thousands of pages in which Voltaire

---

ance of his tragedy, *Alzire*, 1736. — Becomes interested in science and publishes *Eléments de la philosophie de Newton*, 1738. — Performance of *Mérope*, his greatest dramatic success next to *Zaïre*, 1743. — Wins the favor of the court and of Madame de Pompadour. — Elected member of the Academy, royal historiographer, etc., 1746. — Writes *Zadig*, 1747. — Death of the Marquise du Châtelet, 1749. — V. accepts invitation of Frederick the Great to visit Prussia and arrives at Potsdam, 10 July, 1750. — Publishes at Berlin his *Siècle de Louis XIV*, 1751. — Quarrels with Frederick and leaves Prussia, 26 March, 1753. — Takes with him a volume of Frederick's verse and the king in order to get the volume back has the poet arrested at Frankfort. — Buys the estate of Ferney in France near the Swiss frontier, 1758. —Makes it his ordinary place of residence from 1760–1778. — *Candide*, 1759. — Rupture with J. J. Rousseau, 1760. — Takes an active part in the Calas affair, 1762–1765. — Calas who had been condemned and executed (March, 1762) by the Parliament of Toulouse for the murder of his son, is finally, as a result of V.'s efforts declared innocent by a decree of the royal court of appeal at Paris (March, 1765) and the Calas family is rehabilitated. — V. publishes an edition of Corneille with a carping commentary, the purpose being to provide a dowry for Marie Corneille, a distant connection of the poet, 1764.— *L'Ingénu, roman*, 1768. — *Lettre de M. Voltaire à l'Académie française*, violent attack on Shakespeare, apropos of Letourneur's translation, 1776.

assails Christianity are comparatively little read nowa-
days even by that anti-clerical party in France that has
fallen heir to Voltaire's spirit. His historical writings
— especially the *Histoire de Charles XII* and the *Siècle
de Louis XIV* — have fared better ; but the works in
which Voltaire makes his chief appeal to the modern
reader are the somewhat secondary forms of composition
in which he was least hampered by academic convention
— the epistle and epigram, the satire and the "philosophical" tale and, we should hasten to add what is, on

---

The death of Louis XV. opens Paris to Voltaire — Arrives at
the capital, Feb., 1778 and is received with extraordinary enthu-
siasm. — The French Comedy performs his tragedy *Irène* and at
the end his bust is crowned in his presence. — Exhausted by the
excitement and unwonted exertion, Voltaire now in his eighty-fourth
year, dies in the midst of a "splendid and ghastly triumph"
(Macaulay) during the night 30–31 May, 1778. — Burial is refused
him by the church at Paris and he is finally buried at the Abbaye
de Scellières in Champagne through the influence of his nephew,
l'Abbé Mignot. — His remains are brought back to Paris during
the Revolution (11 July, 1791) and placed in the Pantheon.

The most important **editions of Voltaire** are the Kehl edition in
70 volumes (1785–90); the Beuchot edition in 70 volumes (1828),
and the Moland edition in 50 volumes (1877–83). For full biblio-
graphical information consult *Voltaire : Bibliographie de ses œuvres*
par Georges Bengesco, 4 vols. 1882.

A few of the more important **works on Voltaire** are the following :
G. Desnoireterres, *Voltaire et la Société française au XVIIIᵉ siècle*
8 vols., 1867–75.   John Morley, *Voltaire*, 1874.   D. F. Strauss,
Voltaire, sechs Vorträge, 2 Aufl., 1870.   Consult also the manuals of
French literature by G. Lanson, Brunetière, Petit de Julleville (edi-
tor) and E. Faguet, *XVIIIᵉ Siècle*.

For Voltaire's relations with Frederick the Great, see Macaulay's
essay on Frederick and Carlyle's Life.

the whole, his most notable literary achievement — his collected correspondence.[1]

A number of Voltaire's philosophical tales have ranked almost from their first appearance as masterpieces of light narrative. In *Zadig* especially he has carried the eighteenth century *conte* to its final perfection. In the *conte*, a setting that is usually somewhat fantastic and remote, and situations and characters that neither author nor reader is supposed to take too seriously, are made the vehicle of light satire; this satire is conveyed in a style that is itself all point and brilliancy — the so-called *style coupé* in such marked contrast with the longer and more elaborate sentences of the age of Louis XIV. The whole is most often seasoned to the taste of the time by a dash of license. This latter element is almost completely absent from *Zadig*, which differs notably in this respect from *Candide*, perhaps the most famous of all Voltaire's stories. However, it is not so much the licentious tone of *Candide* as the gaiety with which Voltaire depicts the folly and wretchedness of human kind that gives the book its peculiar Mephistophelian flavor.

Voltaire says in one of his letters that a man to be happy needs to have the "body of an athlete and the soul of a sage." He himself had neither. He was a life-long invalid, but an invalid of the not uncommon kind that, as he says of himself, "buries all his doctors" and outlives most of his athletic friends. So far from being a sage, Voltaire has like Rousseau, his great companion

---

[1] Both in quality and extent Voltaire's correspondence is one of the most remarkable monuments in literature. The Moland edition contains 10,465 letters and the collection is far from complete.

figure in eighteenth century thought, such various and grave blemishes of character that, as M. Brunetière puts it, we are tempted when we think of the one always to prefer the other. Yet here again Voltaire atones in part for his lack of real wisdom and his moral shortcomings by his admirable good sense in dealing with details and by no small amount of active beneficence. It was his efforts in behalf of the Calas family and other victims of injustice, his transformation of Ferney from a forlorn hamlet of fifty inhabitants to a flourishing community of twelve hundred that gave him the right to say of himself in his old age:

   " J'ai fait un peu de bien; c'est mon meilleur ouvrage."

Voltaire claimed to believe in the Deity but the quality of his religious faith is sufficiently revealed in his saying that "if God did not exist we should have to invent him." In *Zadig* we have Voltaire in his most edifying mood, and in the closing chapters he actually seems to be attempting a justification of the ways of God to man. Yet even here we should not forget that much of the point of the story lies in the persistent "But —" that Zadig keeps opposing to the explanations of the Angel Jesrad. In his ordinary moods Voltaire is inclined to refer the unaccountable happenings of life, not to an inscrutable Providence, but to what he terms His Sacred Majesty, Chance. His real philosophy finds expression not so much in the utterances of the Angel Jesrad as in the sardonic agnosticism of Candide, the disillusioned optimist, and especially in Candide's famous final summing up of all wisdom: "Il faut cultiver notre jardin."

Voltaire would himself have defined his life-work as the warfare upon prejudice — a warfare that he is

prepared if necessary to carry on in the next world as
he has in this:

> "S'ils ont des préjugés, j'en guérirai les ombres."

He lived in an intensely rationalistic age, and like the
other men of his time, was prone to neglect both what
is above and what is below the reason, to set down as
mere prejudice everything that cannot give a satisfactory
account of itself when summoned to the bar of a superficial good-sense. "Is there anything more respectable than an ancient abuse" asks Sétoc. "Reason is
still more ancient" Zadig replies. But for the modern
student who has acquired that sympathetic understanding of the past practically unknown to the eighteenth
century, the ancient custom or belief that Voltaire would
discard as an abuse has always its reason and often its
justification in history. "Prejudice," as Taine puts it
"is frequently a reason that is ignorant of itself." Simi-
larly Burke praises the English people for its "unalterable perseverance in the wisdom of prejudice."

Voltaire's own attack was mainly upon what is above
the reason, on what he conceived to be prejudice in
matters of religion. Faith in the supernatural — especially as embodied in the forms and beliefs of the Catholic Church — was in his eyes synonymous with super-
stition and intolerance. His chief strength in his
warfare upon the church lay in his powers of mockery
and ridicule; and this strength had its root in large
measure in what must be accounted Voltaire's chief
weakness — his utter lack of respect and reverence. At
times he and his followers carried on their crusade
against Catholicism in a spirit that would justify one in
applying to them the saying of Dean Swift: "Some men

under the notion of weeding out prejudices, eradicate virtue, honesty and religion."

It was especially during the last twenty years of his life that Voltaire assumed a more important role than that of mere man of letters; as "patriarch" of Ferney he became the head of a European coalition of free-thinkers and treated on almost even terms with potentates like Frederick the Great and Catherine of Russia, himself

> "A king that ruled as he thought fit
> The universal monarchy of wit."

Macaulay thus describes in his own rhetorical fashion the closing period of Voltaire's career: "He took refuge on the beautiful shores of Lake Leman. There, loosed from every tie which had hitherto restrained him, and having little to fear from courts or churches, he began his long war upon all that, whether for good or evil, had authority over man; for what Burke said of the Constituent Assembly was eminently true of this its great forerunner: Voltaire could not build: he could only pull down: he was the very Vitruvius of ruin. He has bequeathed to us not a single doctrine to be called by his name, not a single addition to the stock of our positive knowledge. But no human teacher ever left behind him so vast and terrible a wreck of truths and falsehoods, of things noble and things base, of things useful and things pernicious. From the time when his sojourn beneath the Alps commenced, the dramatist, the wit, the historian, was merged in a more important character. He was now the patriarch, the founder of a sect, the chief of a conspiracy, the prince of a wide intellectual commonwealth." Macaulay adds elsewhere in the same essay:

"In truth of all the intellectual weapons which have ever been wielded by man, the most terrible was the mockery of Voltaire. Bigots and tyrants, who had never been moved by the wailing and cursing of millions, turned pale at his name. Principles unassailable by reason, principles which had withstood the fiercest attacks of power, the most valuable truths, the most generous sentiments, the noblest and most graceful images, the purest reputations, the most august institutions, began to look mean and loathsome as soon as that withering smile was turned upon them. To every opponent, however strong in his cause and talents, in his station and his character, who ventured to encounter the great scoffer, might be addressed the caution which was given of old to the Archangel:

> "I forewarn thee, shun
> His deadly arrow; neither vainly hope
> To be invulnerable in those bright arms,
> Though temper'd heavenly; for that fatal dint,
> Save Him who reigns above, none can resist."

If one were writing of Voltaire for Frenchmen, one would need to lay emphasis on his deficiencies — his temperamental irreverence and his lack of sense for everything that transcends the ordinary reason. A superficial Voltairianism is to-day one of the chief perils of France. The French Philistine has a natural leaning toward the kind of shallow free-thinking that Flaubert has immortalized in his figure of M. Homais, and which has led someone to say that Voltaire is the king of wits and the god of fools. On the other hand, in presenting Voltaire to English or American readers, the proper point of view is rather that of Matthew Arnold who re-

marks that we are in no danger of catching Voltaire's
vices and are seriously in need of many of his virtues.
Voltaire will always occupy an important place in literature as one of the most finished of prose writers, and as
the foremost wit of the wittiest age the world has ever
seen.   In addition to this general value, he has the
special merit of being in an unusual degree representa-
tive of his race.   He is certainly not the greatest Frenchman, but it is hard to avoid agreeing with the two most
eminent of modern critics, Goethe and Sainte-Beuve,[1]
that he is the most typical.

[1] For both Goethe's and Sainte-Beuve's opinion of Voltaire see *Causeries
du lundi*, vol. xv, p. 210 (note).

ROMANS DE VOLTAIRE

ZADIG

OU

LA DESTINÉE

HISTOIRE ORIENTALE

(1747)

ÉPÎTRE DÉDICATOIRE DE ZADIG
À LA SULTANE SHERAA[1]

PAR SADI

Le 18 du mois de schewal, l'an 837 de l'Hégire.[2]

CHARME des prunelles, tourment des cœurs, lumière
de l'esprit, je ne baise point la poussière de vos pieds,
parce que vous ne marchez guère, ou que vous marchez sur des tapis d'Iran ou sur des roses. Je vous
offre la traduction d'un livre d'un ancien sage qui, 5
ayant le bonheur de n'avoir rien à faire, eut celui de
s'amuser à écrire l'histoire de Zadig, ouvrage qui dit
plus qu'il ne semble dire. Je vous prie de le lire et
d'en juger; car, quoique vous soyez dans le printemps de votre vie, quoique tous les plaisirs vous 10
cherchent, quoique vous soyez belle, et que vos talents
ajoutent à votre beauté, quoiqu'on vous loue du soir
au matin, et que par toutes ces raisons vous soyez en
droit de n'avoir pas le sens commun, cependant vous
avez l'esprit très sage et le goût très fin et je vous ai 15
entendue raisonner mieux que de vieux derviches à
longue barbe et à bonnet pointu. Vous êtes discrète
et vous n'êtes point défiante; vous êtes douce sans
être faible; vous êtes bienfaisante avec discernement;

3

vous aimez vos amis, et vous ne vous faites point d'ennemis. Votre esprit n'emprunte jamais ses agréments
des traits de la médisance ; vous ne dites de mal ni
n'en faites, malgré la prodigieuse facilité que vous
5 y auriez. Enfin votre âme m'a toujours paru pure
comme votre beauté. Vous avez même un petit fonds
de philosophie qui m'a fait croire que vous prendriez
plus de goût qu'une autre à cet ouvrage d'un sage.

  Il fut écrit d'abord en ancien chaldéen, que ni vous
10 ni moi n'entendons. On le traduisit en arabe, pour
amuser le célèbre sultan Ouloug - beb. C'était du
temps où les Arabes et les Persans commençaient à
écrire des *Mille et une nuits,* des *Mille et un jours,*
etc. Ouloug aimait mieux la lecture de *Zadig ;* mais
15 les sultanes aimaient mieux les *Mille et un.* Comment
pouvez-vous préférer, leur disait le sage Ouloug, des
contes qui sont sans raison, et qui ne signifient rien ?
— C'est précisément pour cela que nous les aimons,
répondaient les sultanes.

20   Je me flatte que vous ne leur ressemblerez pas, et
que vous serez un vrai Ouloug. J'espère même que,
quand vous serez lasse des conversations générales,
qui ressemblent assez aux *Mille et un,* à cela près
qu'elles sont moins amusantes, je pourrai trouver une
25 minute pour avoir l'honneur de vous parler raison.
Si vous aviez été Thalestris[1] du temps de Scander,
fils de Philippe ; si vous aviez été la reine de Sabée
du temps de Soleiman, c'eussent été ces rois qui auraient fait le voyage.

30   Je prie les vertus célestes que vos plaisirs soient
sans mélange, votre beauté durable, et votre bonheur
sans fin.   SADI.

CHAPITRE I

Du temps du roi Moabdar il y avait à Babylone un jeune homme nommé Zadig, né avec un beau naturel fortifié par l'éducation. Quoique riche et jeune, il savait modérer ses passions ; il n'affectait rien ; il ne voulait point toujours avoir raison, et savait respecter la faiblesse des hommes. On était étonné de voir qu'avec beaucoup d'esprit il n'insultât jamais par des railleries à ces propos si vagues, si rompus, si tumultueux, à ces médisances téméraires, à ces décisions ignorantes, à ces turlupinades[1] grossières, à ce vain bruit de paroles, qu'on appelait *conversation* dans Babylone. Il avait appris, dans le premier livre de Zoroastre, que l'amour-propre est un ballon gonflé de vent, dont il sort des tempêtes quand on lui a fait une piqûre. Zadig surtout ne se vantait pas de mépriser les femmes et de les subjuguer. Il était généreux ; il ne craignait point d'obliger des ingrats, suivant ce grand précepte de Zoroastre : *Quand tu manges, donne à manger aux chiens, dussent - ils te mordre.* Il était aussi sage qu'on peut l'être ; car il cherchait à vivre avec des sages. Instruit dans les sciences des anciens Chaldéens, il n'ignorait pas les principes physiques de la nature, tels qu'on les connaissait alors, et savait de

la métaphysique ce qu'on en a su dans tous les âges,
c'est-à-dire fort peu de chose. Il était fermement
persuadé que l'année était de trois cent soixante et
cinq jours et un quart, malgré la nouvelle philosophie
5 de son temps ; et que le soleil était au centre du
monde ; et quand les principaux mages lui disaient,
avec une hauteur insultante, qu'il avait de mauvais
sentiments, et que c'était être ennemi de l'État que
de croire que le soleil tournait sur lui-même, et que
10 l'année avait douze mois, il se taisait sans colère et
sans dédain.

Zadig, avec de grandes richesses, et par conséquent
avec des amis, ayant de la santé, une figure aimable,
un esprit juste et modéré, un cœur sincère et noble,
15 crut qu'il pouvait être heureux. Il devait se marier
à Sémire, que sa beauté, sa naissance et sa fortune
rendaient le premier parti de Babylone. Il avait
pour elle un attachement solide et vertueux, et Sémire
l'aimait avec passion. Ils touchaient au moment for-
20 tuné qui allait les unir, lorsque, se promenant ensemble vers une porte de Babylone, sous les palmiers
qui ornaient les rivages de l'Euphrate, ils virent venir
à eux des hommes armés de sabres et de flèches.
C'étaient les satellites du jeune Orcan, neveu d'un
25 ministre, à qui les courtisans de son oncle avaient fait
accroire que tout lui était permis. Il n'avait aucune
des grâces ni des vertus de Zadig ; mais, croyant valoir beaucoup mieux, il était désespéré de n'être pas
préféré. Cette jalousie, qui ne venait que de sa va-
30 nité, lui fit penser qu'il aimait éperdument Sémire.
Les ravisseurs la saisirent ; et dans les emportements
de leur violence ils la blessèrent, et firent couler le

sang d'une personne dont la vue aurait attendri les
tigres du mont Imaüs.[1]

Elle perçait le ciel de ses plaintes. Elle s'écriait:
Mon cher époux! on m'arrache à ce que j'adore. Elle
n'était point occupée de son danger; elle ne pensait 5
qu'à son cher Zadig. Celui-ci, dans le même temps,
la défendait avec toute la force que donnent la valeur
et l'amour. Aidé seulement de deux esclaves, il mit
les ravisseurs en fuite, et ramena chez elle Sémire,
évanouie et sanglante, qui en ouvrant les yeux vit son 10
libérateur. Elle lui dit: O Zadig! je vous aimais
comme mon époux, je vous aime comme celui à qui
je dois l'honneur et la vie. Jamais il n'y eut un cœur
plus pénétré que celui de Sémire; jamais bouche plus
ravissante n'exprima des sentiments plus touchants 15
par ces paroles de feu qu'inspirent le sentiment du
plus grand des bienfaits et le transport le plus tendre
de l'amour le plus légitime. Sa blessure était légère;
elle guérit bientôt. Zadig était blessé plus dange-
reusement; un coup de flèche reçu près de l'œil lui 20
avait fait une plaie profonde. Sémire ne demandait
aux dieux que la guérison de son amant. Ses yeux
étaient nuit et jour baignés de larmes: elle attendait
le moment où ceux de Zadig pourraient jouir de ses
regards; mais un abcès survenu à l'œil blessé fit tout 25
craindre. On envoya jusqu'à Memphis chercher le
grand médecin Hermès, qui vint avec un nombreux
cortège. Il visita le malade, et déclara qu'il perdrait
l'œil; il prédit même le jour et l'heure où ce funeste
accident devait arriver. Si c'eût été l'œil droit, dit-il, 30
je l'aurais guéri; mais les plaies de l'œil gauche sont
incurables. Tout Babylone, en plaignant la destinée

de Zadig, admira la profondeur de la science d'Hermès. Deux jours après l'abcès perça de lui-même;
Zadig fut guéri parfaitement. Hermès écrivit un
livre où il lui prouva qu'il n'avait pas dû guérir.
5 Zadig ne le lut point, mais, dès qu'il put sortir, il se
prépara à rendre visite à celle qui faisait l'espérance
du bonheur de sa vie, et pour qui seule il voulait
avoir des yeux. Sémire était à la campagne depuis
trois jours. Il apprit en chemin que cette belle dame,
10 ayant déclaré hautement qu'elle avait une aversion
insurmontable pour les borgnes, venait de se marier
à Orcan la nuit même. A cette nouvelle il tomba sans
connaissance; sa douleur le mit au bord du tombeau;
il fut longtemps malade; mais enfin la raison l'em-
15 porta sur son affliction, et l'atrocité de ce qu'il éprou-
vait servit même à le consoler.

Puisque j'ai essuyé, dit-il, un si cruel caprice d'une
fille élevée à la cour, il faut que j'épouse une citoyenne.
Il choisit Azora, la plus sage et la mieux née de la
20 ville; il l'épousa, et vécut un mois avec elle dans les
douceurs de l'union la plus tendre. Seulement il
remarquait en elle un peu de légèreté, et beaucoup
de penchant à trouver toujours que les jeunes gens les
mieux faits étaient ceux qui avaient le plus d'esprit
25 et de vertu.

CHAPITRE II

LE NEZ

Un jour Azora revint d'une promenade, tout en
colère, et faisant de grandes exclamations. Qu'avez-

vous, lui dit-il, ma chère épouse? qui vous peut mettre
ainsi hors de vous-même? — Hélas! dit-elle, vous seriez
indigné comme moi, si vous aviez vu le spectacle dont
je viens d'être témoin. J'ai été consoler la jeune veuve
Cosrou, qui vient d'élever, depuis deux jours, un tom-   5
beau à son jeune époux auprès du ruisseau qui borde
cette prairie. Elle a promis aux dieux, dans sa douleur de demeurer auprès de ce tombeau tant que l'eau
de ce ruisseau coulerait auprès. — Eh bien! dit Zadig,
voilà une femme estimable qui aimait véritablement   10
son mari! — Ah! reprit Azora, si vous saviez à quoi
elle s'occupait quand je lui ai rendu visite! — A quoi
donc, belle Azora? — Elle faisait détourner le ruisseau.
Azora se répandit en des invectives si longues, éclata
en reproches si violents contre la jeune veuve, que ce   15
faste de vertu ne plut pas à Zadig.

Il avait un ami, nommé Cador, qui était un de ces
jeunes gens à qui sa femme trouvait plus de probité
et de mérite qu'aux autres: il le mit dans sa confidence, et s'assura, autant qu'il le pouvait, de sa fidé-   20
lité par un présent considérable. Azora, ayant passé
deux jours chez une de ses amies à la campagne,
revint le troisième jour à la maison. Des domestiques
en pleurs lui annoncèrent que son mari était mort
subitement, la nuit même, qu'on n'avait pas osé lui   25
porter cette funeste nouvelle, et qu'on venait d'ensevelir Zadig dans le tombeau de ses pères, au bout du
jardin. Elle pleura, s'arracha les cheveux, et jura
de mourir. Le soir, Cador lui demanda la permission
de lui parler, et ils pleurèrent tous deux. Le lende-   30
main, ils pleurèrent moins et dinèrent ensemble. Cador lui confia que son ami lui avait laissé la plus

grande partie de son bien, et lui fit entendre qu'il
mettrait son bonheur à partager sa fortune avec elle.
La dame pleura, se fâcha, s'adoucit; le souper fut
plus long que le dîner; on se parla avec plus
5 de confiance.   Azora fit l'éloge du défunt: mais
elle avoua qu'il avait des défauts dont Cador était
exempt.

Au milieu du souper, Cador se plaignit d'un mal de
rate violent; la dame, inquiète et empressée, fit appor-
10 ter toutes les essences dont elle se parfumait, pour
essayer s'il n'y en avait pas quelqu'une qui fût bonne
pour le mal de rate: elle regretta beaucoup que le
grand Hermès ne fût pas encore à Babylone. — Êtes-
vous sujet à cette cruelle maladie? lui dit-elle avec
15 compassion. — Elle me met quelquefois au bord du
tombeau, lui répondit Cador, et il n'y a qu'un seul
remède qui puisse me soulager: c'est de m'appliquer
sur le côté le nez d'un homme qui soit mort la veille.
— Voilà un étrange remède, dit Azora. — Pas plus
20 étrange, répondit-il que les sachets du sieur Arnoult
contre l'apoplexie.[1]   Cette raison, jointe à l'extrême
mérite du jeune homme, détermina enfin la dame. —
Après tout, dit-elle, quand mon mari passera du
monde d'hier dans le monde du lendemain sur le
25 pont Tchinavar, l'ange Asrael lui accordera-t-il moins
le passage parce que son nez sera un peu moins long
dans la seconde vie que dans la première? Elle prit
donc un rasoir; elle alla au tombeau de son époux,
l'arrosa de ses larmes, et s'approcha pour couper le
30 nez à Zadig, qu'elle trouva tout étendu dans la tombe.
Zadig se relève en tenant son nez d'une main, et arrê-
tant le rasoir de l'autre.   Madame, lui dit-il, ne criez

plus tant contre la jeune Cosrou ; le projet de
me couper le nez vaut bien celui de détourner un
ruisseau.

CHAPITRE III

LE CHIEN ET LE CHEVAL

Zadig éprouva que le premier mois du mariage,
comme il est écrit dans le livre du Zend, est la lune de 5
miel, et que le second est la lune de l'absinthe. Il
fut quelque temps après obligé de répudier Azora
qui était devenue trop difficile à vivre,[1] et il chercha
son bonheur dans l'étude de la nature. Rien n'est plus
heureux, disait-il, qu'un philosophe qui lit dans ce 10
grand livre que Dieu a mis sous nos yeux. Les vérités
qu'il découvre sont à lui : il nourrit et il élève son âme,
il vit tranquille ; il ne craint rien des hommes, et sa
tendre épouse ne vient point lui couper le nez.

Plein de ces idées, il se retira dans une maison de 15
campagne sur les bords de l'Euphrate. Là, il ne
s'occupait pas à calculer combien de pouces d'eau
coulaient en une seconde sous les arches d'un pont,
ou s'il tombait une ligne cube de pluie dans le mois
de la souris plus que dans le mois du mouton. Il 20
n'imaginait point de faire de la soie avec des toiles
d'araignée, ni de la porcelaine avec des bouteilles
cassées ;[2] mais il étudia surtout les propriétés des animaux et des plantes, et il acquit bientôt une sagacité
qui lui découvrait mille différences où les autres hom- 25
mes ne voient rien que d'uniforme.

Un jour, se promenant auprès d'un petit bois, il

vit accourir à lui un eunuque de la reine, suivi de
plusieurs officiers qui paraissaient dans la plus grande
inquiétude, et qui couraient çà et là comme des hommes égarés qui cherchent ce qu'ils ont perdu de plus
5 précieux. — Jeune homme, lui dit le premier eunuque,
n'avez-vous point vu le chien de la reine? Zadig
répondit modestement: C'est une chienne, et non
pas un chien. — Vous avez raison, reprit le premier
eunuque. — C'est une épagneule très petite, ajouta
10 Zadig; elle boite du pied gauche de devant, et elle
a les oreilles très longues. — Vous l'avez donc vue?
dit le premier eunuque tout essoufflé. — Non, répondit Zadig, je ne l'ai jamais vue, et je n'ai jamais su
si la reine avait une chienne.

15   Précisément dans le même temps, par une bizarrerie ordinaire de la fortune, le plus beau cheval de
l'écurie du roi s'était échappé des mains d'un palefrenier dans les plaines de Babylone. Le grand
veneur et tous les autres officiers couraient après lui
20 avec autant d'inquiétude que le premier eunuque après
la chienne. Le grand veneur s'adressa à Zadig, et lui
demanda s'il n'avait point vu passer le cheval du roi.
— C'est, répondit Zadig, le cheval qui galope le
mieux; il a cinq pieds de haut, le sabot fort petit;
25 il porte une queue de trois pieds et demi de long;
les bossettes de son mors sont d'or à vingt-trois carats;
ses fers sont d'argent à onze deniers.[1] — Quel chemin
a-t-il pris? où est-il? demanda le grand veneur. — Je
ne l'ai point vu, répondit Zadig, et je n'en ai jamais
30 entendu parler.

Le grand veneur et le premier eunuque ne doutèrent
pas que Zadig n'eût volé le cheval du roi et la chienne

de la reine; ils le firent conduire devant l'assemblée
du grand Desterham, qui le condamna au knout, et
à passer le reste de ses jours en Sibérie. A peine le
jugement fut-il rendu qu'on retrouva le cheval et la
chienne. Les juges furent dans la douloureuse néces- 5
sité de réformer leur arrêt; mais ils condamnèrent
Zadig à payer quatre cents onces d'or, pour avoir dit
qu'il n'avait point vu ce qu'il avait vu. Il fallut
d'abord payer cette amende; après quoi il fut permis
à Zadig de plaider sa cause au conseil du grand Des- 10
terham; il parla en ces termes:

« Étoiles de justice, abîmes de sciences, miroirs de
vérité, qui avez la pesanteur du plomb, la dureté du
fer, l'éclat du diamant, et beaucoup d'affinité avec
l'or, puisqu'il m'est permis de parler devant cette 15
auguste assemblée, je vous jure par Orosmade que
je n'ai jamais vu la chienne respectable de la reine,
ni le cheval sacré du roi des rois. Voici ce qui m'est
arrivé: Je me promenais vers le petit bois où j'ai
rencontré depuis le vénérable eunuque et le très illustre 20
grand veneur. J'ai vu sur le sable les traces d'un
animal, et j'ai jugé aisément que c'étaient celles d'un
petit chien. Des sillons légers et longs, imprimés sur
de petites éminences de sable entre les traces des pattes,
m'ont fait connaître que c'était une chienne dont les 25
mamelles étaient pendantes. D'autres traces en un sens
différent, qui paraissaient toujours avoir rasé la surface
du sable à côté des pattes de devant, m'ont appris qu'elle
avait les oreilles très longues; et comme j'ai remarqué
que le sable était toujours moins creusé par une patte 30
que les trois autres, j'ai compris que la chienne de notre
auguste reine était un peu boiteuse, si je l'ose dire.

« A l'égard du cheval du roi des rois, vous saurez que, me promenant dans les routes de ce bois, j'ai aperçu les marques des fers d'un cheval; elles étaient toutes à égales distances. Voilà, ai-je dit, un cheval qui a un galop parfait. La poussière des arbres, dans une route étroite qui n'a que sept pieds de large, était un peu enlevée à droite et à gauche, à trois pieds et demi du milieu de la route. Ce cheval, ai-je dit, a une queue de trois pieds et demi, qui, par ses mouvements de droite et de gauche, a balayé cette poussière. J'ai vu sous les arbres, qui formaient un berceau de cinq pieds de haut, les feuilles des branches nouvellement tombées; et j'ai connu que ce cheval y avait touché, et qu'ainsi il avait cinq pieds de haut. Quant à son mors, il doit être d'or à vingt-trois carats; car il en a frotté les bossettes contre une pierre que j'ai reconnue être une pierre de touche, et dont j'ai fait l'essai. J'ai jugé enfin, par les marques que ses fers ont laissées sur des cailloux d'une autre espèce, qu'il était ferré d'argent à onze deniers de fin.»

Tous les juges admirèrent le profond et subtil discernement de Zadig, la nouvelle en vint jusqu'au roi et à la reine. On ne parlait que de Zadig dans les antichambres, dans la chambre et dans le cabinet; et quoique plusieurs mages opinassent qu'on devait le brûler comme sorcier, le roi ordonna qu'on lui rendît l'amende des quatre cents onces d'or à laquelle il avait été condamné. Le greffier, les huissiers, les procureurs vinrent chez lui en grand appareil lui rapporter ces quatre cents onces; ils en retinrent seulement trois cent quatre-vingt-dix-huit pour les frais de justice, et leurs valets demandèrent des honoraires.

Zadig vit combien il était dangereux quelquefois d'être trop savant, et se promit bien, à la première occasion, de ne point dire ce qu'il avait vu.

Cette occasion se trouva bientôt. Un prisonnier d'État s'échappa; il passa sous les fenêtres de sa 5 maison. On interrogea Zadig, il ne répondit rien; mais on lui prouva qu'il avait regardé par la fenêtre. Il fut condamné pour ce crime à cinq cents onces d'or, et il remercia ses juges de leur indulgence, selon la coutume de Babylone. 10

Grand Dieu! dit-il en lui-même, qu'on est à plaindre quand on se promène dans un bois où la chienne de la reine et le cheval du roi ont passé! qu'il est dangereux de se mettre à la fenêtre! et qu'il est difficile d'être heureux dans cette vie! 15

CHAPITRE IV

L'ENVIEUX

Zadig voulut se consoler, par la philosophie et par l'amitié, des maux que lui avait faits la fortune. Il avait dans un faubourg de Babylone une maison ornée avec goût, où il rassemblait tous les arts et tous les plaisirs dignes d'un honnête homme. Le matin sa 20 bibliothèque était ouverte à tous les savants: le soir, sa table l'était à la bonne compagnie; mais il connut bientôt combien les savants sont dangereux; il s'éleva une grande dispute sur une loi de Zoroastre, qui défendait de manger du griffon. — Comment défendre 25 le griffon, disaient les uns, si cet animal n'existe pas? — Il faut bien qu'il existe, disaient les autres, puisque

Zoroastre ne veut pas qu'on en mange. Zadig voulut
les accorder en leur disant : S'il y a des griffons, n'en
mangeons point ; s'il n'y en a point, nous en man-
gerons encore moins ; et par là nous obéirons tous
5 à Zoroastre.

Un savant qui avait composé treize volumes sur
les propriétés du griffon, et qui de plus était grand
théurgite,[1] se hâta d'aller accuser Zadig devant un
archimage nommé Yébor,[2] le plus sot des Chaldéens,
10 et partant le plus fanatique. Cet homme aurait fait
empaler Zadig pour la plus grande gloire du soleil,
et en aurait récité le bréviaire de Zoroastre d'un ton
plus satisfait. L'ami Cador (un ami vaut mieux
que cent prêtres) alla trouver le vieux Yébor et lui
15 dit :

Vivent le soleil et les griffons ! gardez-vous bien de
punir Zadig : c'est un saint ; il a des griffons dans sa
basse-cour, et il n'en mange point ; et son accusateur
est un hérétique qui ose soutenir que les lapins ont
20 le pied fendu, et ne sont point immondes. — Eh bien !
dit Yébor en branlant sa tête chauve, il faut empaler
Zadig pour avoir mal pensé des griffons, et l'autre
pour avoir mal parlé des lapins. Cador apaisa l'affaire par le moyen d'une fille d'honneur qui avait
25 beaucoup de crédit dans le collège des mages. Personne ne fut empalé, de quoi plusieurs docteurs mur-
murèrent, et en présagèrent la décadence de Babylone.
Zadig s'écria : A quoi tient le bonheur ! tout me per-
sécute dans ce monde, jusqu'aux êtres qui n'existent
30 pas. Il maudit les savants, et ne voulut plus vivre
qu'en bonne compagnie.

Il rassemblait chez lui les plus honnêtes gens de

Babylone, et les dames les plus aimables : il donnait
des soupers délicats, souvent précédés de concerts, et
animés par des conversations charmantes dont il avait
su bannir l'empressement de montrer de l'esprit qui
est la plus sûre manière de n'en point avoir, et de 5
gâter la société la plus brillante. Ni le choix de ses
amis, ni celui des mets, n'étaient faits par la vanité ;
car en tout il préférait l'être au paraître, et par là il
s'attirait la considération véritable à laquelle il ne prétendait pas. 10

Vis-à-vis sa maison demeurait Arimaze, personnage
dont la méchante âme était peinte sur sa grossière
physionomie. Il était rongé de fiel et bouffi d'orgueil, et pour comble, c'était un bel esprit ennuyeux.
N'ayant jamais pu réussir dans le monde, il se ven- 15
geait par en médire. Tout riche qu'il était, il avait
de la peine à rassembler chez lui les flatteurs. Le
bruit des chars qui entraient le soir chez Zadig l'im-
portunait, le bruit de ses louanges l'irritait davantage.
Il allait quelquefois chez Zadig, et se mettait à table 20
sans être prié : il y corrompait toute la joie de la
société, comme on dit que les harpies infectent les
viandes qu'elles touchent. Il lui arriva un jour de
vouloir donner une fête à une dame qui, au lieu de
la recevoir, alla souper chez Zadig. Un autre jour, 25
causant avec lui dans le palais, ils abordèrent un
ministre qui pria Zadig à souper, et ne pria point
Arimaze. Les plus implacables haines n'ont pas souvent des fondements plus importants. Cet homme,
qu'on appelait l'*Envieux* dans Babylone voulut perdre 30
Zadig parce qu'on l'appelait l'*Heureux*. L'occasion
de faire le mal se trouve cent fois par jour, et celle

de faire du bien une fois dans l'année, comme dit
Zoroastre.

L'Envieux alla chez Zadig, qui se promenait dans
ses jardins avec deux amis et une dame à laquelle il
5 disait souvent des choses galantes, sans autre intention que celle de les dire. La conversation roulait
sur une guerre que le roi venait de terminer heureusement contre le prince d'Hyrcanie, son vassal. Zadig,
qui avait signalé son courage dans cette courte guerre,
10 louait beaucoup le roi et encore plus la dame. Il prit
ses tablettes et écrivit quatre vers qu'il fit sur-le-
champ, et qu'il donna à lire à cette belle personne.
Ses amis le prièrent de leur en faire part : la modestie,
ou plutôt un amour-propre bien entendu l'en empêcha.
15 Il savait que des vers impromptus ne sont jamais bons
que pour celle en l'honneur de qui ils sont faits : il
brisa en deux la feuille des tablettes sur laquelle il
venait d'écrire, et jeta les deux moitiés dans un buisson de roses, où on les chercha inutilement. Une
20 petite pluie survint ; on regagna la maison. L'Envieux, qui resta dans le jardin, chercha tant, qu'il
trouva un morceau de la feuille. Elle avait été tellement rompue, que chaque moitié de vers qui remplissait la ligne faisait un sens, et même un vers d'une
25 plus petite mesure ; mais par un hasard encore plus
étrange, ces petits vers se trouvaient former un sens
qui contenait les injures les plus horribles contre le
roi ; on y lisait :

> Par les plus grands forfaits
30 > Sur le trône affermi,
> Dans la publique paix
> C'est le seul ennemi.

L'Envieux fut heureux pour la première fois de sa vie. Il avait entre les mains de quoi perdre un homme vertueux et aimable. Plein de cette cruelle joie, il fit parvenir jusqu'au roi cette satire écrite de la main de Zadig: on le fit mettre en prison, lui, ses deux amis et la dame. Son procès lui fut bientôt fait, sans qu'on daignât l'entendre. Lorsqu'il vint recevoir sa sentence, l'Envieux se trouva sur son passage, et lui dit tout haut que ses vers ne valaient rien. Zadig ne se piquait pas d'être bon poète; mais il était au désespoir d'être condamné comme criminel de lèse-majesté, et de voir qu'on retint en prison une belle dame et deux amis pour un crime qu'il n'avait pas fait. On ne lui permit pas de parler, parce que ses tablettes parlaient. Telle était la loi de Babylone. On le fit donc aller au supplice à travers une foule de curieux dont aucun n'osait le plaindre, et qui se précipitaient pour examiner son visage, et pour voir s'il mourrait avec bonne grâce. Ses parents seulement étaient affligés, car ils n'héritaient pas. Les trois quarts de son bien étaient confisqués au profit du roi, et l'autre quart au profit de l'Envieux.

Dans le temps qu'il se préparait à la mort, le perroquet du roi s'envola de son balcon, et s'abattit dans le jardin de Zadig sur un buisson de roses. Une pêche y avait été portée d'un arbre voisin par le vent; elle était tombée sur un morceau de tablettes à écrire auquel elle s'était collée. L'oiseau enleva la pêche et la tablette, et les porta sur les genoux du monarque. Le prince curieux y lut des mots qui ne formaient aucun sens, et qui paraissaient des fins de vers. Il aimait la poésie, et il y a toujours de la ressource avec

les princes qui aiment les vers : l'aventure de son perroquet le fit rêver.   La reine, qui se souvenait de ce
qui avait été écrit sur une pièce de la tablette de Zadig,
se la fit apporter.

5   On confronta les deux morceaux, qui s'ajustaient
ensemble parfaitement ; on lut alors les vers tels que
Zadig les avait faits :

> Par les plus grands forfaits j'ai vu troubler la terre.
> Sur le trône affermi, le roi sait tout dompter.
> Dans la publique paix l'amour seul fait la guerre :
> C'est le seul ennemi qui soit à redouter.

10

Le roi ordonna aussitôt qu'on fit venir Zadig devant
lui, et qu'on fit sortir de prison ses deux amis et la
belle dame.   Zadig se jeta le visage contre terre, aux
15 pieds du roi et de la reine : il leur demanda très humblement pardon d'avoir fait de mauvais vers : il parla
avec tant de grâce, d'esprit et de raison, que le roi et
la reine voulurent le revoir.   Il revint, et plut encore
davantage.   On lui donna tous les biens de l'Envieux,
20 qui l'avait injustement accusé : mais Zadig les rendit
tous ; et l'Envieux ne fut touché que du plaisir de ne
pas perdre son bien.   L'estime du roi s'accrut de jour
en jour pour Zadig.   Il le mettait de tous ses plaisirs,
le consultait dans toutes ses affaires.   La reine le
25 regarda dès lors avec une complaisance qui pouvait
devenir dangereuse pour elle, pour le roi son auguste
époux, pour Zadig, et pour le royaume.   Zadig commençait à croire qu'il n'est pas si difficile d'être
heureux.

CHAPITRE V

LES GÉNÉREUX

Le temps arriva où l'on célébrait une grande fête qui revenait tous les cinq ans. C'était la coutume à Babylone de déclarer solennellement, au bout de cinq années, celui des citoyens qui avait fait l'action la plus généreuse. Les grands et les mages étaient les 5 juges. Le premier satrape, chargé du soin de la ville, exposait les plus belles actions qui s'étaient passées sous son gouvernement. On allait aux voix : le roi prononçait le jugement. On venait à cette solennité des extrémités de la terre. Le vainqueur recevait des 10 mains du monarque une coupe d'or garnie de pierreries, et le roi lui disait ces paroles : « Recevez ce prix de la générosité, et puissent les dieux me donner beaucoup de sujets qui vous ressemblent ! »

Ce jour mémorable venu, le roi parut sur son trône, 15 environné des grands, des mages, et des députés de toutes les nations, qui venaient à ces jeux où la gloire s'acquérait, non par la légèreté des chevaux, non par la force du corps, mais par la vertu. Le premier satrape rapporta à haute voix les actions qui pouvaient 20 mériter à leurs auteurs ce prix inestimable. Il ne parla point de la grandeur d'âme avec laquelle Zadig avait rendu à l'Envieux toute sa fortune : ce n'était pas une action qui méritât de disputer le prix.

Il présenta d'abord un juge qui, ayant fait perdre 25 un procès considérable à un citoyen, par une méprise dont il n'était pas même responsable, lui avait donné

tout son bien, qui était la valeur de ce que l'autre
avait perdu.

Il produisit ensuite un jeune homme qui, étant
éperdument épris d'une fille qu'il allait épouser, l'avait
5 cédée à un ami près d'expirer d'amour pour elle, et
qui avait encore payé la dot en cédant la fille.

Ensuite il fit paraître un soldat qui, dans la guerre
d'Hyrcanie, avait donné encore un plus grand exemple
de générosité. Des soldats ennemis lui enlevaient sa
10 maîtresse, et il la défendait contre eux : on vint lui
dire que d'autres Hyrcaniens enlevaient sa mère à quelques pas de là : il quitta en pleurant sa maîtresse, et
courut délivrer sa mère : il retourna ensuite vers celle
qu'il aimait, et la trouva expirante. Il voulut se tuer ;
15 sa mère lui remontra qu'elle n'avait que lui pour tout
secours, et il eut le courage de souffrir la vie.

Les juges penchaient pour ce soldat. Le roi prit
la parole, et dit : Son action et celles des autres sont
belles, mais elles ne m'étonnent point ; hier Zadig
20 en a fait une qui m'a étonné. J'avais disgracié depuis
quelques jours mon ministre et mon favori Coreb.
Je me plaignais de lui avec violence, et tous mes
courtisans m'assuraient que j'étais trop doux ; c'était
à qui me dirait le plus de mal de Coreb. Je demandai
25 à Zadig ce qu'il en pensait, et il osa en dire du bien.
J'avoue que j'ai vu, dans nos histoires, des exemples
qu'on a payé de son bien une erreur, qu'on a cédé sa
maîtresse, qu'on a préféré une mère à l'objet de son
amour ; mais je n'ai jamais lu qu'un courtisan ait
30 parlé avantageusement d'un ministre disgracié contre
qui son souverain était en colère. Je donne vingt mille
pièces d'or à chacun de ceux dont on vient de ré-

citer les actions généreuses ; mais je donne la coupe
à Zadig.

—Sire, lui dit-il, c'est Votre Majesté seule qui
mérite la coupe, c'est elle qui a fait l'action la plus
inouïe, puisque étant roi vous ne vous êtes point 5
fâché contre votre esclave, lorsqu'il contredisait votre
passion. On admira le roi et Zadig. Le juge qui
avait donné son bien, l'amant qui avait marié sa
maîtresse à son ami, le soldat qui avait préféré le
salut de sa mère à celui de sa maîtresse, reçurent les 10
présents du monarque ; ils virent leurs noms écrits
dans le livre des généreux ; Zadig eut la coupe. Le
roi acquit la réputation d'un bon prince, qu'il ne
garda pas longtemps. Ce jour fut consacré par des
fêtes plus longues que la loi ne le portait. La mé- 15
moire s'en conserve encore dans l'Asie. Zadig disait :
Je suis donc enfin heureux ! Mais il se trompait.

CHAPITRE VI

LE MINISTRE

Le roi avait perdu son premier ministre. Il choisit
Zadig pour remplir cette place. Toutes les belles
dames de Babylone applaudirent à ce choix, car depuis 20
la fondation de l'empire il n'y avait jamais eu de ministre si jeune. Tous les courtisans furent fâchés ;
l'Envieux en eut un crachement de sang, et le nez lui
enfla prodigieusement. Zadig ayant remercié le roi
et la reine, alla remercier aussi le perroquet. — Bel 25
oiseau, lui dit-il, c'est vous qui m'avez sauvé la vie,
et qui m'avez fait premier ministre : la chienne et le

cheval de leurs Majestés m'avaient fait beaucoup de
mal, mais vous m'avez fait du bien. Voilà donc de
quoi dépendent les destins des hommes! Mais, ajouta·
t-il, un bonheur si étrange sera peut-être bientôt eva-
5 noui. Le perroquet répondit: Oui. Ce mot frappa
Zadig. Cependant, comme il était bon physicien,[1] et
qu'il ne croyait pas que les perroquets fussent pro-
phètes, il se rassura bientôt; il se mit à exercer son
ministère de son mieux.

10 Il fit sentir à tout le monde le pouvoir sacré des
lois, et ne fit sentir à personne le poids de sa dignité.
Il ne gêna point les voix du divan, et chaque vizir
pouvait avoir un avis sans lui déplaire. Quand il
jugeait une affaire, ce n'était pas lui qui jugeait,
15 c'était la loi; mais, quand elle était trop sévère, il
la tempérait; et, quand on manquait de lois, son
équité en faisait qu'on aurait prises pour celles de
Zoroastre.

C'est de lui que les nations tiennent ce grand prin-
20 cipe: Qu'il vaut mieux hasarder de sauver un coupable que de condamner un innocent. Il croyait que
les lois étaient faites pour secourir les citoyens autant
que pour les intimider. Son principal talent était de
démêler la vérité, que tous les hommes cherchent à
25 obscurcir. Dès les premiers jours de son administration il mit ce grand talent en usage. Un fameux
négociant de Babylone était mort aux Indes; il avait
fait ses héritiers ses deux fils par portions égales,
après avoir marié leur sœur, et il laissait un présent
30 de trente mille pièces d'or à celui de ses deux fils qui
serait jugé l'aimer davantage. L'aîné lui bâtit un
tombeau, le second augmenta d'une partie de son

héritage la dot de sa sœur; chacun disait: C'est l'aîné
qui aime le mieux son père, le cadet aime mieux sa
sœur; c'est à l'aîné qu'appartiennent les trente mille
pièces.

Zadig les fit venir tous deux l'un après l'autre. Il
dit à l'aîné: Votre père n'est point mort; il est guéri
de sa dernière maladie, il revient à Babylone. — Dieu
soit loué, répondit le jeune homme; mais voilà un
tombeau qui m'a coûté bien cher! Zadig dit ensuite
la même chose au cadet. — Dieu soit loué! répondit-il,
je vais rendre à mon père tout ce que j'ai, mais je
voudrais qu'il laissât à ma sœur ce que je lui ai donné.
— Vous ne rendrez rien, dit Zadig, et vous aurez
les trente mille pièces; c'est vous qui aimez le mieux
votre père.

Il venait tous les jours des plaintes à la cour contre
l'itimadoulet[1] de Médie, nommé *Irax*. C'était un grand
seigneur dont le fond n'était pas mauvais, mais qui
était corrompu par la vanité et par la volupté. Il
souffrait rarement qu'on lui parlât, et jamais qu'on
l'osât contredire. Les paons ne sont pas plus vains,
les colombes ne sont pas plus voluptueuses, les tortues
ont moins de paresse; il ne respirait que la fausse
gloire et les faux plaisirs: Zadig entreprit de le
corriger.

Il lui envoya de la part du roi un maître de musique
avec douze voix et vingt-quatre violons,[2] un maître
d'hôtel avec six cuisiniers, et quatre chambellans, qui
ne devaient pas le quitter. L'ordre du roi portait que
l'étiquette suivante serait inviolablement observée; et
voici comme les choses se passèrent.

Le premier jour, dès que le voluptueux Irax fut

éveillé, le maître de musique entra, suivi des voix et
des violons : on chanta une cantate qui dura deux
heures, et, de trois minutes en trois minutes, le refrain
était :

5
         Que son mérite est extrême !
        Que de grâces ! que de grandeur !
          Ah ! combien monseigneur
       Doit être content de lui-même !

Après l'exécution de la cantate, un chambellan lui
10 fit une harangue de trois quarts d'heure, dans laquelle
on le louait expressément de toutes les bonnes qualités
qui lui manquaient. La harangue finie, on le conduisit à table au son des instruments. Le dîner dura
trois heures ; dès qu'il ouvrit la bouche pour parler,
15 le premier chambellan dit : Il aura raison. A peine
eut-il prononcé quatre paroles que le second chambellan s'écria : Il a raison. Les deux autres chambellans firent de grands éclats de rire des bons mots
qu'Irax avait dits ou qu'il avait dû dire. Après dîner
20 on lui répéta la cantate.

Cette première journée lui parut délicieuse, il crut
que le roi des rois l'honorait selon ses mérites ; la
seconde lui parut moins agréable ; la troisième fut
gênante ; la quatrième fut insupportable ; la cin-
25 quième fut un supplice : enfin, outré d'entendre toujours chanter : Ah ! combien monseigneur doit être
content de lui-même ! d'entendre toujours dire qu'il
avait raison, et d'être harangué chaque jour à la même
heure, il écrivit en cour pour supplier le roi qu'il
30 daignât rappeler ses chambellans, ses musiciens, son
maître d'hôtel : il promit d'être désormais moins vain

et plus appliqué ; il se fit moins encenser, eut moins
de fêtes, et fut plus heureux : car, comme dit le Sadder,[1] toujours du plaisir n'est pas du plaisir.

CHAPITRE VII

LES DISPUTES ET LES AUDIENCES

C'est ainsi que Zadig montrait tous les jours la
subtilité de son génie et la bonté de son âme ; on   5
l'admirait, et cependant on l'aimait. Il passait pour
le plus fortuné de tous les hommes, tout l'empire était
rempli de son nom : toutes les femmes le lorgnaient ;
tous les citoyens célébraient sa justice ; les savants
le regardaient comme leur oracle ; les prêtres même   10
avouaient qu'il en savait plus que le vieux archimage
Yébor. On était bien loin alors de lui faire des procès
sur les griffons ; on ne croyait que ce qui lui semblait
croyable.

Il y avait une grande querelle dans Babylone qui   15
durait depuis quinze cents années, et qui partageait
l'empire en deux sectes opiniâtres : l'une prétendait
qu'il ne fallait jamais entrer dans le temple de Mithra
que du pied gauche ; l'autre avait cette coutume en
abomination, et n'entrait jamais que du pied droit.   20
On attendait le jour de la fête solennelle du feu sacré
pour savoir quelle secte serait favorisée par Zadig.
L'univers avait les yeux sur ses deux pieds, et toute
la ville était en agitation et en suspens. Zadig entra
dans le temple en sautant à pieds joints, et il prouva   25
ensuite par un discours éloquent que le Dieu du ciel
et de la terre, qui n'a acception de personne, ne fait

pas plus de cas de la jambe gauche que de la jambe
droite. L'Envieux et sa femme prétendirent que dans
son discours il n'y avait pas assez de figures, qu'il
n'avait pas fait assez danser les montagnes et les col-
5 lines. Il est sec et sans génie, disaient-ils ; on ne voit
chez lui ni la mer s'enfuir, ni les étoiles tomber, ni le
soleil se fondre comme de la cire :[1] il n'a point le bon
style oriental. Zadig se contentait d'avoir le style de
la raison. Tout le monde fut pour lui, non pas parce
10 qu'il était dans le bon chemin, non pas parce qu'il
était raisonnable, non pas parce qu'il était aimable,
mais parce qu'il était premier vizir.

Il termina aussi heureusement le grand procès entre
les mages blancs et les mages noirs. Les blancs
15 soutenaient que c'était une impiété de se tourner, en
priant Dieu, vers l'orient d'hiver ; les noirs assuraient
que Dieu avait en horreur les prières des hommes qui
se tournaient vers le couchant d'été. Zadig ordonna
qu'on se tournât comme on voudrait.

20 Il trouva ainsi le secret d'expédier le matin les
affaires particulières et générales ; le reste du jour
il s'occupait des embellissements de Babylone ; il faisait représenter des tragédies où l'on pleurait, et des
comédies où l'on riait ; ce qui était passé de mode
25 depuis longtemps, et ce qu'il fit renaître parce qu'il
avait du goût. Il ne prétendait pas en savoir plus
que les artistes ; il les récompensait par des bienfaits
et des distinctions, et n'était point jaloux en secret de
leurs talents. Le soir il amusait beaucoup le roi, et
30 surtout la reine. Le roi disait : Le grand ministre !
la reine disait : L'aimable ministre ! et tous deux ajou-
taient : C'eût été grand dommage qu'il eût été pendu.

Cependant Zadig s'apercevait qu'il avait toujours des distractions quand il donnait des audiences, et quand il jugeait : il ne savait à quoi les attribuer ; c'était là sa seule peine.

Il eut un songe : il lui semblait qu'il était couché 5 d'abord sur des herbes sèches, parmi lesquelles il y en avait quelques-unes de piquantes qui l'incommodaient ; et qu'ensuite il reposait mollement sur un lit de roses, dont il sortait un serpent qui le blessait au cœur de sa langue acérée et envenimée. Hélas ! 10 disait-il, j'ai été longtemps couché sur ces herbes sèches et piquantes, je suis maintenant sur le lit de roses ; mais quel sera le serpent ?

CHAPITRE VIII

LA JALOUSIE

Le malheur de Zadig vint de son bonheur même, et surtout de son mérite. Il avait tous les jours des 15 entretiens avec le roi et avec Astarté, son auguste épouse. Les charmes de sa conversation redoublaient encore par cette envie de plaire qui est à l'esprit ce que la parure est à la beauté ; sa jeunesse et ses grâces firent insensiblement sur Astarté une impression dont 20 elle ne s'aperçut pas d'abord. Sa passion croissait dans le sein de l'innocence. Astarté se livrait sans scrupule et sans crainte au plaisir de voir et d'entendre un homme cher à son époux et à l'État : elle ne cessait de le vanter au roi ; elle en parlait à ses femmes, 25 qui enchérissaient encore sur ses louanges : tout servait à enfoncer dans son cœur le trait qu'elle ne sentait

pas. Elle faisait des présents à Zadig, dans lesquels
il entrait plus de galanterie qu'elle ne pensait; elle
croyait ne lui parler qu'en reine contente de ses services, et quelquefois ses expressions étaient d'une
5 femme sensible.

Astarté était beaucoup plus belle que cette Sémire
qui haïssait tant les borgnes, et que cette autre femme
qui avait voulu couper le nez à son époux. La familiarité d'Astarté, ses discours tendres, dont elle com-
10 mençait à rougir, ses regards, qu'elle voulait détourner, et qui se fixaient sur les siens, allumèrent dans
le cœur de Zadig un feu dont il s'étonna. Il combattit;
il appela à son secours la philosophie, qui l'avait toujours secouru; il n'en tira que des lumières, et n'en
15 reçut aucun soulagement. Le devoir, la reconnaissance, la majesté souveraine violée, se présentaient à
ses yeux comme des dieux vengeurs: il combattait,
il triomphait; mais cette victoire, qu'il fallait remporter à tout moment, lui coûta des gémissements et
20 des larmes. Il n'osait plus parler à la reine avec cette
douce liberté qui avait eu tant de charmes pour tous
deux: ses yeux se couvraient d'un nuage; ses discours étaient contraints et sans suite: il baissait la
vue; et quand malgré lui, ses regards se tournaient
25 vers Astarté, ils rencontraient ceux de la reine mouil-
lés de pleurs, dont il partait des traits de flamme;
ils semblaient se dire l'un à l'autre: Nous nous adorons, et nous craignons de nous aimer; nous brûlons
tous deux d'un feu que nous condamnons.

30 Zadig sortait d'auprès d'elle, égaré, éperdu, le cœur
surchargé d'un fardeau qu'il ne pouvait plus porter:
dans la violence de ses agitations, il laissa pénétrer

son secret à son ami Cador, comme un homme qui,
ayant soutenu longtemps les atteintes d'une vive douleur, fait enfin connaître son mal par un cri qu'un
redoublement aigu lui arrache, et par la sueur froide
qui coule sur son front.   5

Cador lui dit: J'ai déjà démêlé les sentiments que
vous vouliez vous cacher à vous-même; les passions
ont des signes auxquels on ne peut se méprendre.
Jugez, mon cher Zadig, puisque j'ai lu dans votre
cœur, si le roi n'y découvrira pas un sentiment qui 10
l'offense. Il n'a d'autre défaut que celui d'être le plus
jaloux des hommes. Vous résistez à votre passion
avec plus de force que la reine ne combat la sienne,
parce que vous êtes philosophe, et parce que vous
êtes Zadig. Astarté est femme; elle laisse parler 15
ses regards avec d'autant plus d'imprudence qu'elle
ne se croit pas encore coupable. Malheureusement
rassurée sur son innocence, elle néglige des dehors
nécessaires. Je tremblerai pour elle tant qu'elle n'aura
rien à se reprocher. Si vous étiez d'accord l'un et 20
l'autre, vous sauriez tromper tous les yeux: une passion naissante et combattue éclate; un amour satisfait sait se cacher. Zadig frémit à la proposition de
trahir le roi, son bienfaiteur; et jamais il ne fut plus
fidèle à son prince que quand il fut coupable envers 25
lui d'un crime involontaire. Cependant la reine prononçait si souvent le nom de Zadig, son front se cou-
vrait de tant de rougeur en le prononçant, elle était
tantôt si animée, tantôt si interdite, quand elle lui
parlait en présence du roi; une rêverie si profonde 30
s'emparait d'elle quand il était sorti, que le roi fut
troublé. Il crut tout ce qu'il voyait et imagina tout

ce qu'il ne voyait point. Il remarqua surtout que les babouches de sa femme étaient bleues, et que les babouches de Zadig étaient bleues, que les rubans de sa femme étaient jaunes, et que le bonnet de Zadig 5 était jaune: c'étaient là de terribles indices pour un prince délicat. Les soupçons se tournèrent en certitude dans son esprit aigri.

Le monarque ne songea plus qu'à la manière de se venger. Il résolut une nuit d'empoisonner la reine, 10 et de faire mourir Zadig par le cordeau au point du jour. L'ordre en fut donné à un impitoyable eunuque, exécuteur de ses vengeances. Il y avait alors dans la chambre du roi un petit nain qui était muet, mais qui n'était pas sourd. On le souffrait toujours: 15 il était témoin de ce qui se passait de plus secret, comme un animal domestique. Ce petit muet était très attaché à la reine et à Zadig. Il entendit, avec autant de surprise que d'horreur, donner l'ordre de leur mort. Mais comment faire pour prévenir cet 20 ordre effroyable, qui allait s'exécuter dans peu d'heures? Il ne savait pas écrire; mais il avait appris à peindre, et savait surtout faire ressembler. Il passa une partie de la nuit à crayonner ce qu'il voulait faire entendre à la reine. Son dessin repré- 25 sentait le roi agité de fureur, dans un coin du tableau, donnant des ordres à son eunuque; un cordeau bleu et un vase sur une table, avec des rubans jaunes; la reine, dans le milieu du tableau, expirante entre les bras de ses femmes; et Zadig étranglé 30 à ses pieds. L'horizon représentait un soleil levant pour marquer que cette horrible exécution devait se faire aux premiers rayons de l'aurore. Dès qu'il eut

fini cet ouvrage, il courut chez une femme d'Astarté,
la réveilla, et lui fit entendre qu'il fallait dans l'instant même porter ce tableau à la reine.

Cependant, au milieu de la nuit, on vient frapper
à la porte de Zadig; on le réveille; on lui donne un
billet de la reine; il doute si c'est un songe; il ouvre
la lettre d'une main tremblante. Quelle fut sa surprise, et qui pourrait exprimer la consternation et le
désespoir dont il fut accablé quand il lut ces paroles:
« Fuyez, dans l'instant même, ou l'on va vous arracher la vie! Fuyez, Zadig, je vous l'ordonne au
nom de notre amour et de mes rubans jaunes. Je
n'étais point coupable; mais je sens que je vais mourir
criminelle.»

Zadig eut à peine la force de parler. Il ordonna
qu'on fit venir Cador; et, sans lui rien dire, il lui
donna ce billet. Cador le força d'obéir et de prendre sur-le-champ la route de Memphis: Si vous osez
aller trouver la reine, lui dit-il, vous hâtez sa mort;
si vous parlez au roi, vous la perdez encore. Je me
charge de sa destinée; suivez la vôtre. Je répandrai
le bruit que vous avez pris la route des Indes. Je
viendrai bientôt vous trouver, et je vous apprendrai
ce qui se sera passé à Babylone.

Cador, dans le moment même, fit placer deux dro-
madaires des plus légers à la course vers une porte
secrète du palais; il y fit monter Zadig, qu'il fallut
porter, et qui était près de rendre l'âme. Un seul
domestique l'accompagna; et bientôt Cador, plongé
dans l'étonnement et dans la douleur, perdit son ami
de vue.

Cet illustre fugitif, arrivé sur le bord d'une colline

d'où on voyait Babylone, tourna la vue sur le palais
de la reine, et s'évanouit; il ne reprit ses sens que
pour verser des larmes, et pour souhaiter la mort.
Enfin, après s'être occupé de la destinée déplorable
5 de la plus aimable des femmes et de la première reine
du monde, il fit un mouvement de retour sur lui-
même, et s'écria : Qu'est-ce donc que la vie humaine?
O vertu! à quoi m'avez-vous servi? Deux femmes
m'ont indignement trompé; la troisième, qui n'est
10 point coupable et qui est plus belle que les autres,
va mourir! Tout ce que j'ai de bien a toujours été
pour moi une source de malédictions, et je n'ai été
élevé au comble de la grandeur que pour tomber
dans le plus horrible précipice de l'infortune. Si
15 j'eusse été méchant comme tant d'autres, je serais
heureux comme eux. Accablé de ces réflexions funestes, les yeux chargés du voile de la douleur, la
pâleur de la mort sur le visage, et l'âme abimée dans
l'excès d'un sombre désespoir, il continuait son voyage
20 vers l'Égypte.

CHAPITRE IX

LA FEMME BATTUE

ZADIG dirigeait sa route sur les étoiles. La constellation d'Orion et le brillant astre de Sirius le gui-
daient vers le pôle de Canope.[1] Il admirait ces vastes
globes de lumière qui ne paraissent que de faibles
25 étincelles à nos yeux, tandis que la terre, qui n'est en
effet qu'un point imperceptible dans la nature, paraît
à notre cupidité quelque chose de si grand et de si
noble. Il se figurait alors les hommes tels qu'ils

sont en effet, des insectes se dévorant les uns les
autres sur un petit atome de boue.[1]   Cette image
vraie semblait anéantir ses malheurs, en lui retraçant
le néant de son être, et celui de Babylone.   Son âme
s'élançait jusque dans l'infini, et contemplait, dé-   5
tachée de ses sens, l'ordre immuable de l'univers.
Mais lorsque ensuite, rendu à lui-même et rentrant
dans son cœur, il pensait qu'Astarté était peut-être
morte pour lui, l'univers disparaissait à ses yeux, et
il ne voyait dans la nature entière qu'Astarté mou-   10
rante et Zadig infortuné.   Comme il se livrait à ce
flux et à ce reflux de philosophie sublime et de douleur accablante, il avançait vers les frontières de
l'Égypte; et déjà son domestique fidèle était dans la
première bourgade, où il lui cherchait un logement.   15
Zadig cependant se promenait vers les jardins qui
bordaient ce village.   Il vit, non loin du grand chemin, une femme éplorée qui appelait le ciel et la terre
à son secours, et un homme furieux qui la suivait.
Elle était déjà atteinte par lui, elle embrassait ses   20
genoux.   Cet homme l'accablait de coups et de reproches.   Il jugea, à la violence de l'Égyptien et au
pardon réitéré que lui demandait la dame, que l'un
était un jaloux et l'autre une infidèle; mais, quand
il eut considéré cette femme, qui était d'une beauté   25
touchante, et qui même ressemblait un peu à la malheureuse Astarté, il se sentit pénétré de compassion
pour elle et d'horreur pour l'Égyptien. — Secourez-
moi, s'écria-t-elle à Zadig avec des sanglots; tirez-
moi des mains du plus barbare des hommes, sauvez-   30
moi la vie.

A ces cris Zadig courut se jeter entre elle et ce

barbare. Il avait quelque connaissance de la langue
égyptienne. Il lui dit en cette langue : Si vous avez
quelque humanité, je vous conjure de respecter la
beauté et la faiblesse. Pouvez-vous outrager ainsi
5 un chef-d'œuvre de la nature, qui est à vos pieds, et
qui n'a pour sa défense que des larmes ? — Ah ! lui
dit cet emporté, tu l'aimes donc aussi ! et c'est de toi
qu'il faut que je me venge. En disant ces paroles,
il laisse la dame, qu'il tenait d'une main par les che-
10 veux, et prenant sa lance, il veut en percer l'étranger.
Celui-ci, qui était de sang-froid, évita aisément le
coup d'un furieux. Il se saisit de la lance près du
fer dont elle est armée. L'un veut la **retirer**, l'autre
l'arracher. Elle se brise entre leurs mains. L'Égyp-
15 tien tire son épée ; Zadig s'arme de la sienne. Ils
s'attaquent l'un l'autre. Celui-là porte cent coups
précipités ; celui-ci les pare avec adresse. La dame,
assise sur un gazon, rajuste sa coiffure et les regarde. L'Égyptien était plus robuste que son ad-
20 versaire, Zadig était plus adroit. Celui-ci se battait
en homme dont la tête conduisait le bras, et celui-là
comme un emporté dont une colère aveugle guidait
les mouvements au hasard. Zadig passe à lui et le
désarme ; et, tandis que l'Égyptien devenu plus fu-
25 rieux veut se jeter sur lui, il le saisit, le presse, le
fait tomber en lui tenant l'épée sur la poitrine ; il lui
offre de lui donner la vie. L'Égyptien hors de lui
tire son poignard ; il en blesse Zadig dans le temps
même que le vainqueur lui pardonnait. Zadig in-
30 digné lui plonge son épée dans le sein. L'Égyptien
jette un cri horrible, et meurt en se débattant. Zadig
alors s'avança vers la dame, et lui dit d'une voix

soumise: Il m'a forcé de le tuer: je vous ai vengée;
vous êtes délivrée de l'homme le plus violent que
j'aie jamais vu.   Que voulez-vous maintenant de
moi, madame? — Que tu meures, scélérat, lui répon-
dit-elle, que tu meures: tu as tué mon amant, je vou-   5
drais pouvoir déchirer ton cœur. — En vérité, madame, vous aviez là un étrange homme pour amant,
lui répondit Zadig; il vous battait de toutes ses
forces, et il voulait m'arracher la vie parce que vous
m'avez conjuré de vous secourir. — Je voudrais qu'il   10
me battît encore, reprit la dame en poussant des cris.
Je le méritais bien, je lui avais donné de la jalousie.
Plût au ciel qu'il me battît, et que tu fusses à sa
place! Zadig, plus surpris et plus en colère qu'il ne
l'avait été de sa vie, lui dit: Madame, toute belle que   15
vous êtes, vous mériteriez que je vous battisse à mon
tour, tant vous êtes extravagante; mais je n'en pren-
drai pas la peine.   Là-dessus il remonta sur son chameau et avança vers le bourg.   A peine avait-il fait
quelques pas qu'il se retourne au bruit que faisaient   20
quatre courriers de Babylone.   Ils venaient à toute
bride.   L'un d'eux, en voyant cette femme, s'écria:
C'est elle-même; elle ressemble au portrait qu'on
nous en a fait.   Ils ne s'embarassèrent pas du mort,
et se saisirent incontinent de la dame.   Elle ne ces-   25
sait de crier à Zadig: Secourez-moi encore une fois,
étranger généreux; je vous demande pardon de
m'être plainte de vous: secourez-moi, et je suis à
vous jusqu'au tombeau.   L'envie avait passé à Zadig
de se battre désormais pour elle. — A d'autres,[1] ré-   30
pondit-il, vous ne m'y attraperez plus.   D'ailleurs il
était blessé, son sang coulait, il avait besoin de se-

cours ; et la vue des quatre Babyloniens, probablement envoyés par le roi Moabdar, le remplissait d'inquiétude. Il s'avance en hâte vers le village, n'ima-
ginant pas pourquoi quatre courriers de Babylone
5 venaient prendre cette Égyptienne, mais encore plus
étonné du caractère de cette dame.

CHAPITRE X

L'ESCLAVAGE

Comme il entrait dans la bourgade égyptienne, il
se vit entouré par le peuple. Chacun criait : Voilà
celui qui a enlevé la belle Missouf, et qui vient d'as-
10 sassiner Clétofis. — Messieurs, dit-il, Dieu me pré-
serve d'enlever jamais votre belle Missouf ; elle est
trop capricieuse ; et, à l'égard de Clétofis, je ne l'ai
point assassiné ; je me suis défendu seulement contre
lui. Il voulait me tuer, parce que je lui avais de-
15 mandé très humblement grâce pour la belle Missouf,
qu'il battait impitoyablement. Je suis un étranger
qui vient chercher un asile dans l'Égypte ; et il n'y
a pas d'apparence qu'en venant demander votre protection j'aie commencé par enlever une femme, et
20 par assassiner un homme.

Les Égyptiens étaient alors justes et humains. Le
peuple conduisit Zadig à la maison de ville. On
commença par le faire panser de sa blessure, et ensuite on l'interrogea, lui et son domestique, séparé-
25 ment, pour savoir la vérité. On reconnut que Zadig
n'était point un assassin ; mais il était coupable du
sang d'un homme : la loi le condamnait à être esclave.

On vendit au profit de la bourgade ses deux chameaux; on distribua aux habitants tout l'or qu'il
avait apporté; sa personne fut exposé en vente dans
la place publique, ainsi que celle de son compagnon
de voyage. Un marchand arabe, nommé Sétoc, y   5
mit l'enchère, mais le valet, plus propre à la fatigue,
fut vendu bien plus chèrement que le maître. On
ne faisait pas de comparaison entre ces deux hommes.
Zadig fut donc esclave subordonné à son valet: on
les attacha ensemble avec une chaîne qu'on leur passa 10
aux pieds, et en cet état ils suivirent le marchand
arabe dans sa maison. Zadig, en chemin, consolait
son domestique, et l'exhortait à la patience; mais,
selon sa coutume, il faisait des réflexions sur la vie
humaine. Je vois, lui disait-il, que les malheurs de 15
ma destinée se répandent sur la tienne. Tout m'a
tourné jusqu'ici d'une façon bien étrange. J'ai été
condamné à l'amende pour avoir vu passer une
chienne; j'ai pensé être[1] empalé pour un griffon;
j'ai été envoyé au supplice parce que j'avais fait des 20
vers à la louange du roi; j'ai été sur le point d'être
étranglé parce que la reine avait des rubans jaunes,
et me voici esclave avec toi parce qu'un brutal a
battu sa maîtresse. Allons, ne perdons point courage; tout ceci finira peut-être; il faut bien que les 25
marchands arabes aient des esclaves; et pourquoi ne
le serais-je pas comme un autre, puisque je suis
homme comme un autre? Ce marchand ne sera pas
impitoyable; il faut qu'il traite bien ses esclaves, s'il
en veut tirer des services. Il parlait ainsi, et dans 30
le fond de son cœur il était occupé du sort de la
reine de Babylone.

Sétoc, le marchand, partit deux jours après pour
l'Arabie Déserte avec ses esclaves et ses chameaux.
Sa tribu habitait vers le désert d'Horeb. Le chemin
fut long et pénible. Sétoc, dans la route, faisait bien
5 plus de cas du valet que du maître, parce que le
premier chargeait bien mieux les chameaux; et toutes
les petites distinctions furent pour lui.

Un chameau mourut à deux journées d'Horeb: on
répartit sa charge sur le dos de chacun des servi-
10 teurs; Zadig en eut sa part. Sétoc se mit à rire en
voyant tous ses esclaves marcher courbés. Zadig
prit la liberté de lui en expliquer la raison, et lui apprit les lois de l'équilibre. Le marchand étonné commença à le regarder d'un autre œil. Zadig, voyant
15 qu'il avait excité sa curiosité, la redoubla en lui apprenant beaucoup de choses qui n'étaient point étrangères à son commerce; les pesanteurs spécifiques
des métaux et des denrées sous un volume égal; les
propriétés de plusieurs animaux utiles: le moyen de
20 rendre tels ceux qui ne l'étaient pas; enfin il lui parut un sage. Sétoc lui donna la préférence sur son
camarade, qu'il avait tant estimé. Il le traita bien,
et n'eut pas sujet de s'en repentir.

Arrivé dans sa tribu, Sétoc commença par rede-
25 mander cinq cents onces d'argent à un Hébreu auquel il les avait prêtées en présence de deux témoins;
mais ces deux témoins étaient morts, et l'Hébreu, ne
pouvant être convaincu, s'appropriait l'argent du marchand, en remerciant Dieu de ce qu'il lui avait donné
30 le moyen de tromper un Arabe. Sétoc confia sa
peine à Zadig, qui était devenu son conseil. — En
quel endroit, demanda Zadig, prêtâtes-vous vos cinq

cents onces à cet infidèle? — Sur une large pierre,
répondit le marchand, qui est auprès du mont Horeb.
— Quel est le caractère de votre débiteur? dit Zadig.
— Celui d'un fripon, reprit Sétoc. — Mais je vous
demande si c'est un homme vif ou flegmatique, avisé 5
ou imprudent. — C'est de tous les mauvais payeurs,
dit Sétoc, le plus vif que je connaisse. — Eh bien!
insista Zadig, permettez que je plaide votre cause
devant le juge. En effet il cita l'Hébreu au tribunal, et il parla ainsi au juge: Oreiller du trône 10
d'équité, je viens redemander à cet homme, au nom
de mon maître, cinq cents onces d'argent qu'il ne
veut pas rendre. — Avez-vous des témoins? dit le
juge. — Non, ils sont morts; mais il reste une large
pierre sur laquelle l'argent fut compté; et, s'il plaît 15
à votre Grandeur d'ordonner qu'on aille chercher la
pierre, j'espère qu'elle portera témoignage; nous res-
terons ici, l'Hébreu et moi, en attendant que la pierre
vienne; je l'enverrai chercher aux dépens de Sétoc,
mon maître. — Très volontiers, répondit le juge; et 20
il se mit à expédier d'autres affaires.

A la fin de l'audience: Eh! dit-il à Zadig, votre
pierre n'est pas encore venue? L'Hébreu, en riant,
répondit: Votre Grandeur resterait ici jusqu'à demain que la pierre ne serait pas encore arrivée; elle 25
est à plus de six milles d'ici, et il faudrait quinze
hommes pour la remuer. — Eh bien! s'écria Zadig,
je vous avais bien dit que la pierre porterait témoignage: puisque cet homme sait où elle est, il
avoue donc que c'est sur elle que l'argent fut compté. 30
L'Hébreu déconcerté fut bientôt contraint de tout
avouer. Le juge ordonna qu'il serait lié à la pierre,

sans boire ni manger, jusqu'à ce qu'il eût rendu les cinq cents onces d'argent, qui furent bientôt payées.

L'esclave Zadig et la pierre furent en grande re-commandation dans l'Arabie.

CHAPITRE XI

LE BÛCHER

5 SÉTOC enchanté fit de son esclave son ami intime. Il ne pouvait pas plus se passer de lui qu'avait fait le roi de Babylone; et Zadig fut heureux que Sétoc n'eût point de femme. Il découvrait dans son maître un naturel porté au bien, beaucoup de droiture et de 10 bon sens. Il fut fâché de voir qu'il adorait l'armée céleste, c'est-à-dire le soleil, la lune et les étoiles, se-lon l'ancien usage d'Arabie. Il lui en parlait quel-quefois avec beaucoup de discrétion. Enfin il lui dit que c'étaient des corps comme les autres, qui ne 15 méritaient pas plus son hommage qu'un arbre ou un rocher. — Mais, disait Sétoc, ce sont des êtres éter-nels dont nous tirons tous nos avantages; ils animent la nature, ils règlent les saisons; ils sont d'ailleurs si loin de nous qu'on ne peut pas s'empêcher de les 20 révérer. — Vous recevez plus d'avantages, répondit Zadig, des eaux de la mer Rouge, qui porte vos mar-chandises aux Indes. Pourquoi ne serait-elle pas aussi ancienne que les étoiles? Et si vous adorez ce qui est éloigné de vous, vous devez adorer la terre 25 des Gangarides,[1] qui est aux extrémités du monde. — Non, disait Sétoc, les étoiles sont trop brillantes pour que je ne les adore pas. Le soir venu, Zadig alluma

un grand nombre de flambeaux dans la tente où il
devait souper avec Sétoc; et dès que son patron parut il se jeta à genoux devant ces cires allumées, et
leur dit: Éternelles et brillantes clartés, soyez-moi
toujours propices! Ayant proféré ces paroles, il se 5
mit à table sans regarder Sétoc. — Que faites-vous
donc? lui dit Sétoc étonné. — Je fais comme vous,
répondit Zadig; j'adore ces chandelles, et je néglige
leur maître et le mien.   Sétoc comprit le sens profond de cet apologue.   La sagesse de son esclave en- 10
tra dans son âme; il ne prodigua plus son encens aux
créatures, et adora l'Être éternel qui les a faites.

Il y avait alors dans l'Arabie une coutume affreuse
venue originairement de Scythie, et qui, s'étant établie dans les Indes par le crédit des brahmanes, me- 15
naçait d'envahir tout l'Orient.   Lorsqu'un homme marié était mort, et que sa femme bien-aimée voulait
être sainte, elle se brûlait en public sur le corps de
son mari.   C'était une fête solennelle qui s'appelait
le bûcher du veuvage.   La tribu dans laquelle il y 20
avait eu le plus de femmes brûlées était la plus con-
sidérée.   Un Arabe de la tribu de Sétoc étant mort,
sa veuve, nommée *Almona,* qui était fort dévote, fit
savoir le jour et l'heure où elle se jetterait dans le
feu au son des tambours et des trompettes.   Zadig 25
remontra à Sétoc combien cette horrible coutume était ·
contraire au bien du genre humain; qu'on laissait
brûler tous les jours de jeunes veuves qui pouvaient
donner des enfants à l'État, ou du moins élever les
leurs; et il le fit convenir qu'il fallait, si on pouvait, 30
abolir un usage si barbare.   Sétoc répondit: Il y a
plus de mille ans que les femmes sont en possession

de se brûler.   Qui de nous osera changer une loi que
le temps a consacrée? Y a-t-il rien de plus respectable qu'un ancien abus?—La raison est plus ancienne, reprit Zadig.   Parlez aux chefs des tribus, et
5 je vais trouver la jeune veuve.

Il se fit présenter à elle; et, après s'être insinué
dans son esprit par des louanges sur sa beauté, après
lui avoir dit combien c'était dommage de mettre au
feu tant de charmes, il la loua encore sur sa cons-
10 tance et son courage. Vous aimiez donc prodigieusement votre mari? lui dit-il.—Moi? point du tout,
répondit la dame arabe.   C'était un brutal, un jaloux, un homme insupportable; mais je suis fermement résolue de me jeter sur son bûcher.—Il faut,
15 dit Zadig, qu'il y ait apparemment un plaisir bien délicieux à être brûlée vive.—Ah! cela fait frémir la
nature, dit la dame; mais il faut en passer par là. Je
suis dévote; je serais perdue de réputation, et tout
le monde se moquerait de moi si je ne me brûlais
20 pas.   Zadig, l'ayant fait convenir qu'elle se brûlait
pour les autres et par vanité, lui parla longtemps d'une
manière à lui faire aimer un peu la vie, et parvint
même à lui inspirer quelque bienveillance pour celui
qui lui parlait.—Que feriez-vous enfin, lui dit-il, si
25 la vanité de vous brûler ne vous tenait pas?—Hélas! dit la dame, je crois que je vous prierais de
m'épouser.

Zadig était trop rempli de l'idée d'Astarté pour ne
pas éluder cette déclaration; mais il alla dans l'ins-
30 tant trouver les chefs des tribus, leur dit ce qui s'était
passé, et leur conseilla de faire une loi par laquelle
il ne serait permis à une veuve de se brûler qu'après

avoir entretenu un jeune homme tête à tête pendant
une heure entière. Depuis ce jour, aucune dame ne
se brûla en Arabie. On eut au seul Zadig l'obligation d'avoir détruit en un jour une coutume si cruelle,
qui durait depuis tant de siècles. Il était donc le ₅
bienfaiteur de l'Arabie.

CHAPITRE XII

LE SOUPER

Sétoc, qui ne pouvait se séparer de cet homme en
qui habitait la sagesse, le mena à la grande foire de
Bassora où devaient se rendre les plus grands négociants de la terre habitable. Ce fut pour Zadig une ₁₀
consolation sensible de voir tant d'hommes de diverses
contrées réunis dans la même place. Il lui paraissait
que l'univers était une grande famille qui se rassemblait à Bassora. Il se trouva à table dès le second
jour avec un Égyptien, un Indien gangaride,¹ un ha- ₁₅
bitant du Cathay, un Grec, un Celte, et plusieurs
autres étrangers qui, dans leurs fréquents voyages
vers le golfe Arabique, avaient appris assez d'arabe
pour se faire entendre. L'Égyptien paraissait fort
en colère. Quel abominable pays que Bassora! disait- ₂₀
il; on m'y refuse mille onces d'or sur le meilleur effet du monde. — Comment donc, dit Sétoc, sur quel
effet vous a-t-on refusé cette somme? — Sur le corps
de ma tante, répondit l'Égyptien; c'était la plus brave
femme d'Égypte. Elle m'accompagnait toujours; elle ₂₅
est morte en chemin; j'en ai fait une des plus belles
momies que nous ayons, et je trouverais dans mon

pays tout ce que je voudrais en la mettant en gage.
Il est bien étrange qu'on ne veuille pas seulement me
donner ici mille onces d'or sur un effet si solide.
Tout en se courrouçant, il était près de manger d'une
5 excellente poule bouillie, quand l'Indien, le prenant
par la main, s'écria avec douleur: Ah! qu'allez-vous
faire? — Manger de cette poule, dit l'homme à la
momie. — Gardez-vous-en bien, dit le Gangaride; il
se pourrait faire que l'âme de la défunte fût passée
10 dans le corps de cette poule, et vous ne voudriez pas
vous exposer à manger votre tante.   Faire cuire des
poules, c'est outrager manifestement la nature. — Que
voulez-vous dire avec votre nature et vos poules? reprit le colérique Égyptien; nous adorons un bœuf,
15 et nous en mangeons bien. — Vous adorez un bœuf!
est-il possible? dit l'homme du Gange. — Il n'y a rien
de si possible, repartit l'autre; il y a cent trente-cinq
mille ans que nous en usons ainsi, et personne parmi
nous n'y trouve à redire. — Ah! cent trente-cinq mille
20 ans! dit l'Indien, ce compte est un peu exagéré; il
n'y en a que quatre-vingt mille que l'Inde est peu-
plée, et assurément nous sommes vos anciens; et
Brama nous avait défendu de manger des bœufs avant
que vous vous fussiez avisés de les mettre sur les
25 autels et à la broche. — Voilà un plaisant animal que
votre Brama, pour le comparer à Apis, dit l'Égyptien; qu'a donc fait votre Brama de si beau? Le
bramin répondit: C'est lui qui a appris aux hommes
à lire et à écrire et à qui toute la terre doit le jeu des
30 échecs. — Vous vous trompez, dit un Chaldéen qui
était auprès de lui; c'est le poisson Oannès à qui on
doit de si grands bienfaits, et il est juste de ne ren-

dre qu'à lui ses hommages.   Tout le monde vous dira
que c'était un être divin, qu'il avait la queue dorée,
avec une belle tête d'homme, et qu'il sortait de l'eau
pour venir prêcher à terre trois heures par jour.   Il
eut plusieurs enfants qui furent tous rois, comme 5
chacun sait.   J'ai son portrait chez moi, que je révère comme je le dois.   On peut manger du bœuf
tant qu'on veut, mais c'est assurément une très grande
impiété de faire cuire du poisson; d'ailleurs vous êtes
tous deux d'une origine trop peu noble et trop ré- 10
cente pour me rien disputer.   La nation égyptienne
ne compte que cent trente-cinq mille ans, et les Indiens ne se vantent que de quatre-vingt mille, tandis
que nous avons des almanachs de quatre mille siècles.
Croyez-moi, renoncez à vos folies, et je vous donne- 15
rai à chacun un beau portrait d'Oannès.

L'homme de Cambalu,[1] prenant la parole, dit: Je
respecte fort les Égyptiens, les Chaldéens, les Grecs,
les Celtes, Brama, le bœuf Apis, le beau poisson
Oannès; mais peut-être que le Li ou le Tien,[2] comme 20
on voudra l'appeler, vaut bien les bœufs et les poissons.   Je ne dirai rien de mon pays; il est aussi
grand que la terre d'Égypte, la Chaldée et les Indes
ensemble.   Je ne dispute pas d'antiquité, parce qu'il
suffit d'être heureux et que c'est fort peu de chose 25
d'être ancien; mais s'il fallait parler d'almanachs, je
dirais que toute l'Asie prend les nôtres, et que nous
en avions de fort bons avant qu'on sût l'arithmétique
en Chaldée.

— Vous êtes de grands ignorants tous tant que 30
vous êtes! s'écria le Grec: est-ce que vous ne savez
pas que le chaos est le père de tout et que la forme

et la matière ont mis le monde dans l'état où il est?
Ce Grec parla longtemps; mais il fut enfin interrompu par le Celte, qui, ayant beaucoup bu pendant
qu'on disputait, se crut alors plus savant que tous
5 les autres, et dit en jurant qu'il n'y avait que Teutath[1]
et le gui de chêne qui valussent la peine qu'on en
parlât; que, pour lui, il avait toujours du gui dans
sa poche; que les Scythes, ses ancêtres, étaient les
seules gens de bien qui eussent jamais été au
10 monde; qu'ils avaient, à la vérité, quelquefois mangé
des hommes, mais que cela n'empêchait pas qu'on ne
dût avoir beaucoup de respect pour sa nation; et
qu'enfin, si quelqu'un parlait mal de Teutath, il lui
apprendrait à vivre.[2]　La querelle s'échauffa pour
15 lors, et Sétoc vit le moment où la table allait être
ensanglantée.　Zadig, qui avait gardé le silence pendant toute la dispute, se leva enfin: il s'adressa d'a-
bord au Celte, comme au plus furieux; il lui dit qu'il
avait raison, et lui demanda du gui; il loua le Grec
20 sur son éloquence, et adoucit tous les esprits échauf-
fés.　Il ne dit que très peu de chose à l'homme du
Cathay, parce qu'il avait été le plus raisonnable de
tous.　Ensuite il leur dit: Mes amis, vous alliez
vous quereller pour rien, car vous êtes tous du même
25 avis.　A ce mot, ils se récrièrent tous. — N'est-il pas
vrai, dit-il au Celte, que vous n'adorez pas ce gui,
mais celui qui a fait le gui et le chêne? — Assurément, répondit le Celte. — Et vous, monsieur l'Égyptien, vous révérez apparemment dans un certain bœuf
30 celui qui vous a donné les bœufs? — Oui, dit l'Égyptien. — Le poisson Oannès, continua-t-il, doit céder
à celui qui a fait la mer et les poissons. — D'accord,

dit le Chaldéen. L'Indien, ajouta-t-il, et le Cathayen,
reconnaissent comme vous un premier principe; je
n'ai pas trop bien compris les choses admirables que
le Grec a dites, mais je suis sûr qu'il admet aussi
un Être supérieur de qui la forme et la matière dé- 5
pendent. Le Grec, qu'on admirait, dit que Zadig
avait très bien pris sa pensée. — Vous êtes donc tous
de même avis, répliqua Zadig, et il n'y a pas là de
quoi se quereller. Tout le monde l'embrassa. Sétoc,
après avoir vendu fort cher ses denrées, reconduisit 10
son ami Zadig dans sa tribu. Zadig apprit en arrivant qu'on lui avait fait son procès en son absence,
et qu'il allait être brûlé à petit feu.

CHAPITRE XIII

LE RENDEZ-VOUS [1]

PENDANT son voyage à Bassora, les prêtres des
étoiles avaient résolu de le punir. Les pierreries et 15
les ornements des jeunes veuves qu'ils envoyaient au
bûcher leur appartenaient de droit; c'était bien le
moins qu'ils fissent brûler Zadig pour le mauvais
tour qu'il leur avait joué. Ils accusèrent donc Zadig
d'avoir des sentiments erronés sur l'armée céleste; 20
ils déposèrent contre lui, et jurèrent qu'ils lui avaient
entendu dire que les étoiles ne se couchaient pas dans
la mer. Ce blasphème effroyable fit frémir les juges;
ils furent près de déchirer leurs vêtements, quand ils
ouïrent ces paroles impies, et ils l'auraient fait, sans 25
doute, si Zadig avait eu de quoi les payer; mais,
dans l'excès de leur douleur, ils se contentèrent de

le condamner à être brûlé à petit feu. Sétoc, désespéré, employa en vain son crédit pour sauver son
ami; il fut bientôt obligé de se taire. La jeune
veuve Almona, qui avait pris beaucoup de goût à la
5 vie, et qui en avait obligation à Zadig, résolut de
le tirer du bûcher, dont il lui avait fait connaître
l'abus. Elle roula son dessein dans sa tête, sans en
parler à personne. Zadig devait être exécuté le lendemain; elle n'avait que la nuit pour le sauver: voici
10 comme elle s'y prit en femme charitable et prudente.

  Elle se parfuma; elle releva sa beauté par l'ajustement le plus riche et le plus galant, et alla demander une audience secrète au chef des prêtres des
étoiles. Quand elle fut devant ce vieillard vénérable
15 elle lui parla en ces termes: Fils aîné de la grande
Ourse, frère du Taureau, cousin du Grand Chien
(c'étaient les titres de ce pontife) je viens vous confier mes scrupules. J'ai bien peur d'avoir commis
un péché énorme, en ne me brûlant pas dans le bû-
20 cher de mon cher mari. En effet, qu'avais-je à conserver? une chair périssable, et qui est déjà toute
flétrie. En disant ces paroles elle tira de ses longues
manches de soie, ses bras nus d'une forme admirable
et d'une blancheur éblouissante. — Vous voyez, dit-
25 elle, le peu que cela vaut. Le pontife trouva dans
son cœur que cela valait beaucoup. Ses yeux le
dirent et sa bouche le confirma; il jura qu'il n'avait
vu de sa vie de si beaux bras. Almona, le voyant
enflammé, lui demanda la grâce de Zadig. — Hélas!
30 dit-il, ma belle dame, quand je vous accorderais sa
grâce, mon indulgence ne servirait de rien; il faut
qu'elle soit signée de trois autres de mes confrères.

— Signez toujours, dit Almona. — Volontiers, dit le
prêtre, à condition que vos faveurs seront le prix de
ma facilité. — Vous me faites trop d'honneur, dit Almona ; ayez seulement pour agréable de venir dans
ma chambre après que le soleil sera couché, et dès 5
que la brillante étoile *Sheat* sera sur l'horizon. Elle
sortit alors, emportant avec elle la signature, et alla
trouver le second pontife. Celui-ci l'assura que le
soleil, la lune, et tous les feux du firmament, n'étaient
que des feux follets en comparaison de ses charmes. 10
Elle lui demanda la même grâce, et on lui proposa
d'en donner le prix. Elle se laissa vaincre, et donna
rendez-vous au second pontife au lever de l'étoile *Al-
génib*. De là elle passa chez le troisième et chez le
quatrième prêtre, prenant toujours une signature, et 15
donnant un rendez-vous d'étoile en étoile. Alors elle
fit avertir les juges de venir chez elle pour une affaire importante. Ils s'y rendirent : elle leur montra
les quatre noms, et leur dit à quel prix les prêtres
avaient vendu la grâce de Zadig. Chacun d'eux ar- 20
riva à l'heure prescrite ; chacun fut bien étonné d'y
trouver ses confrères, et plus encore d'y trouver les
juges devant qui leur honte fut manifestée. Zadig
fut sauvé. Sétoc fut si charmé de l'habileté d'Almona,
qu'il en fit sa femme.   25

CHAPITRE XIV

LA DANSE

Sétoc devait aller, pour les affaires de son commerce, dans l'île de Serendib; mais le premier mois de son mariage, qui est, comme on sait, la lune de miel, ne lui permettait ni de quitter sa femme, ni de
5 croire qu'il pût jamais la quitter: il pria son ami Zadig de faire pour lui le voyage. Hélas! disait Zadig, faut-il que je mette encore un plus vaste espace entre la belle Astarté et moi? mais il faut servir mes bienfaiteurs. Il dit, il pleura, et il partit.

10 Il ne fut pas longtemps dans l'île de Serendib, sans y être regardé comme un homme extraordinaire. Il devint l'arbitre de tous les différends entre les négociants, l'ami des sages, le conseil du petit nombre de gens qui prennent conseil. Le roi voulut le voir et
15 l'entendre. Il connut bientôt tout ce que valait Zadig; il eut confiance en sa sagesse, et en fit son ami. La familiarité et l'estime du roi fit trembler Zadig. Il était nuit et jour pénétré du malheur que lui avaient attiré les bontés de Moabdar. Je plais au
20 roi, disait-il; ne serais-je pas perdu? Cependant il ne pouvait se dérober aux caresses de Sa Majesté; car il faut avouer que Nabussan, roi de Serendib, fils de Nussanab, fils de Nabassun, fils de Sanbusna, était un des meilleurs princes de l'Asie, et quand on lui
25 parlait il était difficile de ne le pas aimer.

Ce bon prince était toujours loué, trompé et volé: c'était à qui pillerait ses trésors. Le receveur général de l'île de Serendib donnait toujours cet exemple

fidèlement suivi par les autres. Le roi le savait; il
avait changé de trésorier plusieurs fois; mais il n'a-
vait pu changer la mode établie de partager les revenus du roi en deux moitiés inégales, dont la plus
petite revenait toujours à Sa Majesté, et la plus 5
grosse aux administrateurs.

   Le roi Nabussan confia sa peine au sage Zadig.
Vous qui savez tant de belles choses, lui dit-il, ne
sauriez-vous pas le moyen de me faire trouver un
trésorier qui ne me vole point? — Assurément, répon- 10
dit Zadig, je sais une façon infaillible de vous donner
un homme qui ait les mains nettes. Le roi charmé
lui demanda, en l'embrassant, comment il fallait s'y
prendre. Il n'y a, dit Zadig, qu'à faire danser tous
ceux qui se présenteront pour la dignité de trésorier, 15
et celui qui dansera avec le plus de légèreté sera in-
failliblement le plus honnête homme. — Vous vous
moquez, dit le roi; voilà une plaisante façon de
choisir un receveur de mes finances. Quoi! vous
prétendez que celui qui fera le mieux un entrechat 20
sera le financier le plus intègre et le plus habile! —
Je ne vous réponds pas qu'il sera le plus habile, repartit Zadig; mais je vous assure que ce sera indubitablement le plus honnête homme. Zadig parlait
avec tant de confiance, que le roi crut qu'il avait 25
quelque secret surnaturel pour connaître les financiers. — Je n'aime pas le surnaturel, dit Zadig; les
gens et les livres à prodige m'ont toujours déplu;
si Votre Majesté veut me laisser faire l'épreuve que
je lui propose, elle sera bien convaincue que mon 30
secret est la chose la plus simple et la plus aisée.
Nabussan, roi de Serendib, fut bien plus étonné d'en-

tendre que ce secret était simple que si on le lui avait donné pour un miracle : Or bien, dit-il, faites comme vous l'entendrez. — Laissez-moi faire, dit Zadig, vous gagnerez à cette épreuve plus que vous ne 5 pensez. Le jour même il fit publier, au nom du roi, que tous ceux qui prétendaient à l'emploi de haut receveur des deniers de Sa gracieuse Majesté Nabussan, fils de Nussanab, eussent à se rendre, en habits de soie légère, le premier de la lune du Cro-10 codile, dans l'antichambre du roi. Ils s'y rendirent au nombre de soixante et quatre. On avait fait venir des violons dans un salon voisin ; tout était préparé pour le bal ; mais la porte de ce salon était fermée, et il fallait, pour y entrer, passer par une petite 15 galerie assez obscure. Un huissier vint chercher et introduire chaque candidat, l'un après l'autre, par ce passage, dans lequel on le laissait seul quelques minutes. Le roi, qui avait le mot, avait étalé tous ses trésors dans cette galerie. Lorsque tous les préten-20 dants furent arrivés dans le salon, Sa Majesté ordonna qu'on les fît danser. Jamais on ne dansa plus pesamment et avec moins de grâce ; ils avaient tous la tête baissée, les reins courbés, les mains collées à leurs côtés. Quels fripons ! disait tout bas Zadig. 25 Un seul d'entre eux formait des pas avec agilité, la tête haute, le regard assuré, les bras étendus, le corps droit, le jarret ferme. Ah ! l'honnête homme ! le brave homme ! disait Zadig. Le roi embrassa ce bon danseur, le déclara trésorier, et tous les autres furent 30 punis et taxés avec la plus grande justice du monde ; car chacun, dans le temps qu'il avait été dans la galerie, avait rempli ses poches, et pouvait à peine marcher. Le roi fut fâché pour la nature humaine que de ces soixante et quatre danseurs il y eût soixante et trois filous. La galerie obscure fut appelée *le corridor de la Tentation.* On aurait en Perse empalé ces soixante et trois seigneurs; en d'autres pays on eût fait une chambre de justice qui eût consommé en frais le triple de l'argent volé, et qui n'eût rien remis dans les coffres du souverain; dans un autre royaume, ils se seraient pleinement justifiés, et auraient fait disgracier ce danseur si léger: à Serendib, ils ne furent condamnés qu'à augmenter le trésor public, car Nabussan était fort indulgent.

Il était aussi fort reconnaissant; il donna à Zadig une somme d'argent plus considérable qu'aucun trésorier n'en avait jamais volé au roi son maître. Zadig s'en servit pour envoyer des exprès à Babylone, qui devaient l'informer de la destinée d'Astarté. Sa voix trembla en donnant cet ordre, son sang reflua vers son cœur, ses yeux se couvrirent de ténèbres, son âme fut prête à l'abandonner. Le courrier partit, Zadig le vit embarquer; il rentra chez le roi, ne voyant personne, croyant être dans sa chambre, et prononçant le nom d'amour. — Ah! l'amour, dit le roi; c'est précisément ce dont il s'agit; vous avez deviné ce qui fait ma peine. Que vous êtes un grand homme! j'espère que vous m'apprendrez à connaître une femme à toute épreuve, comme vous m'avez fait trouver un trésorier désintéressé. Zadig ayant repris ses sens, lui promit de le servir en amour comme en finance, quoique la chose parût plus difficile encore.

CHAPITRE XV

[Zadig met à l'épreuve les sultanes de Nabussan et ne trouve
que la belle Falide qui aime le roi véritablement.]

NABUSSAN lui donna son cœur: elle le méritait
bien.   Jamais la fleur de la jeunesse ne fut si bril-
5 lante; jamais les charmes de la beauté ne furent si
enchanteurs.   La vérité de l'histoire ne permet pas
de taire qu'elle faisait mal la révérence, mais elle
dansait comme les fées, chantait comme les sirènes,
et parlait comme les Grâces: elle était pleine de ta-
10 lents et de vertus.

Nabussan aimé l'adora: mais elle avait les yeux
bleus, et ce fut la source des plus grands malheurs.
Il y avait une ancienne loi qui défendait aux rois
d'aimer une de ces femmes que les Grecs ont appe-
15 lées depuis βοῶπις.¹   Le chef des bonzes avait établi
cette loi il y avait plus de cinq mille ans; c'était pour
s'approprier la maîtresse du premier roi de l'île de
Serendib que ce premier bonze avait fait passer l'anathème des yeux bleus en constitution fondamentale
20 d'État.   Tous les ordres de l'empire vinrent faire à
Nabussan des remontrances.   On disait publiquement
que les derniers jours du royaume étaient arrivés,
que l'abomination était à son comble, que toute la
nature était menacée d'un événement sinistre; qu'en
25 un mot Nabussan, fils de Nussanab, aimait deux
grands yeux bleus.   Les financiers, les bonzes et les
brunes remplirent le royaume de leurs plaintes.

Les peuples sauvages qui habitent le nord de Se-

rendib profitèrent de ce mécontentement général. Ils
firent une irruption dans les États du bon Nabussan.
Il demanda des subsides à ses sujets ; les bonzes, qui
possédaient la moitié des revenus de l'État, se contentèrent de lever les mains au ciel, et refusèrent de les 5
mettre dans leurs coffres pour aider le roi. Ils firent
de belles prières en musique, et laissèrent l'État en
proie aux barbares.

— O mon cher Zadig, me tireras-tu encore de cet
horrible embarras ? s'écria douloureusement Nabus- 10
san. — Très volontiers, répondit Zadig ; vous aurez
de l'argent des bonzes tant que vous en voudrez.
Laissez à l'abandon les terres où sont situés leurs
châteaux, et défendez seulement les vôtres. Nabussan n'y manqua pas : les bonzes vinrent se jeter aux 15
pieds du roi, et implorer son assistance. Le roi leur
répondit par une belle musique dont les paroles
étaient des prières au ciel pour la conservation de
leurs terres. Les bonzes enfin donnèrent de l'argent,
et le roi finit heureusement la guerre. Ainsi Zadig, 20
par ses conseils sages et heureux, et par les plus
grands services, s'était attiré l'irréconciliable inimitié
des hommes les plus puissants de l'État : les bonzes
et les brunes jurèrent sa perte ; les financiers ne
l'épargnèrent pas ; on le rendit suspect au bon Na- 25
bussan.   Les services rendus restent souvent dans
l'antichambre, et les soupçons entrent dans le cabinet,
selon la sentence de Zoroastre : c'était tous les jours
de nouvelles accusations ; la première est repoussée, la
seconde effleure, la troisième blesse, la quatrième tue. 30

Zadig, intimidé, qui avait bien fait les affaires de
son ami Sétoc, et qui lui avait fait tenir son argent,

ne songea plus qu'à partir de l'île, et résolut d'aller
lui-même chercher des nouvelles d'Astarté; car, disait-il, si je reste dans Serendib, les bonzes me feront
empaler; mais où aller? je serai esclave en Égypte,
5 brûlé selon toutes les apparences en Arabie, étranglé
à Babylone. Cependant il faut savoir ce qu'Astarté
est devenue: partons, et voyons à quoi me réserve
ma triste destinée.

CHAPITRE XVI

LE BRIGAND

En arrivant aux frontières qui séparent l'Arabie
10 Pétrée[1] de la Syrie, comme il passait près d'un château assez fort, des Arabes armés en sortirent. Il se
vit entouré; on lui criait: Tout ce que vous avez
nous appartient, et votre personne appartient à notre
maître. Zadig, pour réponse, tira son épée; son va-
15 let, qui avait du courage, en fit autant. Ils renver-
sèrent morts les premiers Arabes qui mirent la main
sur eux; le nombre redoubla; ils ne s'étonnèrent
point, et résolurent de périr en combattant. On voyait
deux hommes se défendre contre une multitude; un
20 tel combat ne pouvait durer longtemps. Le maître
du château nommé Arbogad, ayant vu d'une fenêtre
les prodiges de valeur que faisait Zadig, conçut de
l'estime pour lui. Il descendit en hâte, et vint lui-
même écarter ses gens, et délivrer les deux voyageurs.
25 — Tout ce qui passe sur mes terres est à moi, dit-il,
aussi bien que ce que je trouve sur les terres des autres; mais vous me paraissez un si brave homme, que

je vous exempte de la loi commune. Il le fit entrer dans son château, ordonnant à ses gens de le bien traiter ; et le soir Arbogad voulut souper avec Zadig.

Le seigneur du château était un de ces Arabes qu'on appelle *voleurs;* mais il faisait quelquefois de bonnes actions parmi une foule de mauvaises ; il volait avec une rapacité furieuse, et donnait libéralement : intrépide dans l'action, assez doux dans le commerce, débauché à table, gai dans la débauche, et surtout plein de franchise. Zadig lui plut beaucoup ; sa conversation, qui s'anima, fit durer le repas : enfin Arbogad lui dit : Je vous conseille de vous enrôler sous moi, vous ne sauriez mieux faire ; ce métier-ci n'est pas mauvais ; vous pourrez un jour devenir ce que je suis. — Puis - je vous demander, dit Zadig, depuis quand vous exercez cette noble profession ? — Dès ma plus tendre jeunesse, reprit le seigneur. J'étais valet d'un Arabe assez habile ; ma situation m'était insupportable. J'étais au désespoir de voir que, dans toute la terre qui appartient également aux hommes, la destinée ne m'eût pas réservé ma portion. Je confiai mes peines à un vieil Arabe qui me dit : Mon fils, ne désespérez pas ; il y avait autrefois un grain de sable qui se lamentait d'être un atome ignoré dans les déserts ; au bout de quelques années il devint diamant, et il est à présent le plus bel ornement de la couronne du roi des Indes. Ce discours me fit impression ; j'étais le grain de sable, je résolus de devenir diamant. Je commençai par voler deux chevaux ; je m'associai des camarades ; je me mis en état de voler de petites caravanes : ainsi je fis cesser peu à peu la disproportion qui était d'abord entre

les hommes et moi. J'eus ma part aux biens de ce
monde, et je fus même dédommagé avec usure : on
me considéra beaucoup ; je devins seigneur brigand ;
j'acquis ce château par voie de fait. Le satrape de
5 Syrie voulut m'en déposséder ; mais j'étais déjà trop
riche pour avoir rien à craindre ; je donnai de l'argent au satrape, moyennant quoi je conservai ce château, et j'agrandis mes domaines ; il me nomma même
trésorier des tributs que l'Arabie Pétrée payait au
10 roi des rois. Je fis ma charge de receveur, et point
du tout celle de payeur.

Le grand Desterham de Babylone envoya ici, au
nom du roi Moabdar, un petit satrape pour me faire
étrangler. Cet homme arriva avec son ordre : j'étais
15 instruit de tout ; je fis étrangler en sa présence les
quatre personnes qu'il avait amenées avec lui pour
serrer le lacet ; après quoi je lui demandai ce que
pouvait lui valoir la commission de m'étrangler. Il
me répondit que ses honoraires pouvaient aller à trois
20 cents pièces d'or. Je lui fis voir clair qu'il y aurait
plus à gagner avec moi. Je le fis sous-brigand ; il
est aujourd'hui un de mes meilleurs officiers, et des
plus riches. Si vous m'en croyez, vous réussirez
comme lui. Jamais la saison de voler n'a été meil-
25 leure, depuis que Moabdar est tué et que tout est en
confusion à Babylone.

— Moabdar est tué ! dit Zadig ; et qu'est devenue
la reine Astarté ? — Je n'en sais rien, reprit Arbogad ;
tout ce que je sais, c'est que Moabdar est devenu
30 fou, qu'il a été tué, que Babylone est un grand coupe-
gorge, que tout l'empire est désolé, qu'il y a de beaux
coups à faire encore, et que pour ma part j'en ai fait

d'admirables. — Mais la reine, dit Zadig ; de grâce,
ne savez-vous rien de la destinée de la reine ? — On
m'a parlé d'un prince d'Hyrcanie, reprit-il ; elle est
probablement parmi ses concubines, si elle n'a pas été
tuée dans le tumulte ; mais je suis plus curieux de 5
butin que de nouvelles. J'ai pris plusieurs femmes
dans mes courses, je n'en garde aucune, je les vends
cher quand elles sont belles, sans m'informer de ce
qu'elles sont. On n'achète point le rang ; une reine
qui serait laide ne trouverait pas marchand ; peut-être 10
ai-je vendu la reine Astarté, peut-être est-elle morte ;
mais peu m'importe, et je pense que vous ne devez
pas vous en soucier plus que moi. En parlant ainsi,
il buvait avec tant de courage, il confondait tellement
toutes les idées, que Zadig n'en put tirer aucun éclair- 15
cissement.

Il restait interdit, accablé, immobile. Arbogad buvait toujours, faisait des contes, répétait sans cesse
qu'il était le plus heureux de tous les hommes, ex-
hortant Zadig à se rendre aussi heureux que lui. 20
Enfin, doucement assoupi par les fumées du vin, il
alla dormir d'un sommeil tranquille. Zadig passa la
nuit dans l'agitation la plus violente. Quoi, disait-il,
le roi est devenu fou ! il est tué ! Je ne puis m'empêcher de le plaindre. L'empire est déchiré, et ce 25
brigand est heureux : ô fortune ! ô destinée ! un voleur est heureux, et ce que la nature a fait de plus
aimable a péri peut-être d'une manière affreuse, ou
vit dans un état pire que la mort. O Astarté ! qu'êtes-
vous devenue ? 30

Dès le point du jour il interrogea tous ceux qu'il
rencontrait dans le château ; mais tout le monde était

occupé, personne ne lui répondit : on avait fait pendant la nuit de nouvelles conquêtes, on partageait les
dépouilles. Tout ce qu'il put obtenir dans cette confusion tumultueuse, ce fut la permission de partir. Il
5 en profita sans tarder, plus abîmé que jamais dans ses
réflexions douloureuses.

Zadig marchait inquiet, agité, l'esprit tout occupé de
la malheureuse Astarté, du roi de Babylone, de son frère
Cador, de l'heureux brigand Arbogad, de cette femme
10 si capricieuse que des Babyloniens avaient enlevée sur
les confins de l'Égypte, enfin de tous les contre-coups
et de toutes les infortunes qu'il avait éprouvées.

CHAPITRE XVII

LE PÊCHEUR

A QUELQUES lieues du château d'Arbogad, il se
trouva sur le bord d'une petite rivière, toujours dé-
15 plorant sa destinée, et se regardant comme le modèle du malheur. Il vit un pêcheur couché sur la
rive, tenant à peine d'une main languissante son filet,
qu'il semblait abandonner, et levant les yeux vers le
ciel.

20 Je suis certainement le plus malheureux de tous les
hommes, disait le pêcheur. J'ai été, de l'aveu de
tout le monde, le plus célèbre marchand de fromages
à la crème dans Babylone, et j'ai été ruiné. J'avais
la plus jolie femme qu'homme pût posséder, et j'en
25 ai été trahi. Il me restait une chétive maison, je l'ai
vue pillée et détruite. Réfugié dans une cabane, je
n'ai de ressource que ma pêche et je ne prends pas

un poisson. O mon filet! je ne te jetterai plus dans
l'eau, c'est à moi de m'y jeter. En disant ces mots
il se lève, et s'avance dans l'attitude d'un homme qui
allait se précipiter et finir sa vie.

Eh quoi! se dit Zadig à lui-même, il y a donc des   5
hommes aussi malheureux que moi! L'ardeur de
sauver la vie au pêcheur fut aussi prompte que cette
réflexion. Il court à lui, il l'arrête, il l'interroge
d'un air attendri et consolant. On prétend qu'on en
est moins malheureux quand on ne l'est pas seul: 10
mais, selon Zoroastre, ce n'est pas par malignité, c'est
par besoin. On se sent alors entraîné vers un infortuné comme vers son semblable. La joie d'un homme
heureux serait une insulte; mais deux malheureux
sont comme deux arbrisseaux faibles qui, s'appuyant   15
l'un sur l'autre, se fortifient contre l'orage.

— Pourquoi succombez-vous à vos malheurs? dit
Zadig au pêcheur. — C'est, répondit-il, parce que je
n'y vois pas de ressource. J'ai été le plus considéré
du village de Derlback auprès de Babylone, et je fai-   20
sais, avec l'aide de ma femme, les meilleurs fromages
à la crème de l'empire. La reine Astarté et le fameux ministre Zadig les aimaient passionnément.
J'avais fourni à leurs maisons six cents fromages.
J'allai un jour à la ville pour être payé; j'appris en   25
arrivant dans Babylone que la reine et Zadig avaient
disparu. Je courus chez le seigneur Zadig, que je
n'avais jamais vu; je trouvai les archers du grand
Desterham, qui, munis d'un papier royal, pillaient sa
maison loyalement et avec ordre. Je volai aux cui-   30
sines de la reine; quelques-uns des seigneurs de la
bouche[1] me dirent qu'elle était morte; d'autres dirent

qu'elle était en prison; d'autres prétendirent qu'elle
avait pris la fuite; mais tous m'assurèrent qu'on ne
me payerait point mes fromages.   J'allai avec ma
femme chez le seigneur Orcan, qui était une de mes
5 pratiques: nous lui demandâmes sa protection dans
notre disgrâce. Il l'accorda à ma femme, et me la
refusa. Elle était plus blanche que ces fromages à
la crème qui commencèrent mon malheur; et l'éclat
de la pourpre de Tyr n'était pas plus brillant que
10 l'incarnat qui animait cette blancheur. C'est ce qui
fit qu'Orcan la retint, et me chassa de sa maison.
J'écrivis à ma chère femme la lettre d'un désespéré.
Elle dit au porteur: Ah! ah! oui! je sais quel est
l'homme qui m'écrit, j'en ai entendu parler: on dit
15 qu'il fait des fromages à la crème excellents; qu'on
m'en apporte et qu'on les lui paye.

Dans mon malheur, je voulus m'adresser à la justice. Il me restait six onces d'or: il fallut en donner
deux onces à l'homme de loi que je consultai, deux
20 au procureur qui entreprit mon affaire, deux au secrétaire du premier juge. Quand tout cela fut fait, mon
procès n'était pas encore commencé, et j'avais déjà
dépensé plus d'argent que mes fromages et ma femme
ne valaient. Je retournai à mon village dans l'inten-
25 tion de vendre ma maison pour avoir ma femme.

Ma maison valait bien soixante onces d'or; mais
on me voyait pauvre et pressé de vendre. Le premier
à qui je m'adressai m'en offrit trente onces; le second
vingt; et le troisième dix. J'étais près enfin de con-
30 clure, tant j'étais aveuglé, lorsqu'un prince d'Hyrcanie
vint à Babylone, et ravagea tout sur son passage. Ma
maison fut d'abord saccagée, et ensuite brûlée.

Ayant ainsi perdu mon argent, ma femme, et ma
maison, je me suis retiré dans ce pays où vous me
voyez; j'ai tâché de subsister du métier de pêcheur.
Les poissons se moquent de moi comme les hommes;
je ne prends rien, je meurs de faim; et sans vous, 5
auguste consolateur, j'allais mourir dans la rivière.

Le pêcheur ne fit point ce récit tout de suite, car à
tout moment Zadig, ému et transporté, lui disait : Quoi !
vous ne savez rien de la destinée de la reine ? — Non,
seigneur, répondait le pêcheur; mais je sais que la 10
reine et Zadig ne m'ont point payé mes fromages à la
crème, qu'on a pris ma femme, et que je suis au désespoir. — Je me flatte, dit Zadig, que vous ne perdrez pas
tout votre argent. J'ai entendu parler de ce Zadig;
il est honnête homme; et s'il retourne à Babylone, 15
comme il l'espère, il vous donnera plus qu'il ne vous
doit : mais pour votre femme, qui n'est pas si honnête,
je vous conseille de ne pas chercher à la reprendre.
Croyez-moi, allez à Babylone; j'y serai avant vous,
parce que je suis à cheval, et que vous êtes à pied. 20
Adressez-vous à l'illustre Cador; dites-lui que vous
avez rencontré son ami; attendez-moi chez lui. Allez;
peut-être ne serez-vous pas toujours malheureux.

O puissant Orosmade ! continua-t-il, vous vous ser-
vez de moi pour consoler cet homme; de qui vous 25
serviriez-vous pour me consoler ? En parlant ainsi il
donnait au pêcheur la moitié de tout l'argent qu'il
avait apporté d'Arabie, et le pêcheur, confondu et ravi,
baisait les pieds de l'ami de Cador, et disait : Vous êtes
un ange sauveur. 30

Cependant Zadig demandait toujours des nouvelles,
et versait des larmes. Quoi ! seigneur, s'écria le pê-

cheur, vous seriez donc aussi malheureux, vous qui
faites du bien? — Plus malheureux que toi cent fois,
répondait Zadig. — Mais comment se peut-il faire,
disait le bonhomme, que celui qui donne soit plus à
5 plaindre que celui qui reçoit? — C'est que ton plus
grand malheur, reprit Zadig, était le besoin, et que je
suis infortuné par le cœur. — Orcan vous aurait-il pris
votre femme? dit le pêcheur. Ce mot rappela dans
l'esprit de Zadig toutes ses aventures; il répétait la
10 liste de ses infortunes, à commencer depuis la chienne
de la reine jusqu'à son arrivée chez le brigand Arbogad. Ah! dit-il au pêcheur, Orcan mérite d'être puni.
Mais d'ordinaire ce sont ces gens-là qui sont les favoris
de la destinée. Quoi qu'il en soit, va chez le seigneur
15 Cador, et attends-moi. Ils se séparèrent: le pêcheur
marcha en remerciant son destin, et Zadig courut en
accusant toujours le sien.

CHAPITRE XVIII

LE BASILIC

Arrivé dans une belle prairie, il y vit plusieurs
femmes qui cherchaient quelque chose avec beaucoup
20 d'application. Il prit la liberté de s'approcher de l'une
d'elles, et de lui demander s'il pouvait avoir l'honneur de
les aider dans leurs recherches. Gardez-vous-en bien,
répondit la Syrienne; ce que nous cherchons ne peut
être touché que par des femmes. — Voilà qui est bien
25 étrange, dit Zadig; oserai-je vous prier de m'apprendre
ce que c'est qu'il n'est permis qu'aux femmes de toucher? — C'est un basilic, dit-elle. — Un basilic, ma-

dame! et pour quelle raison, s'il vous plait, cherchez-
vous un basilic? — C'est pour notre seigneur et maître
Ogul, dont vous voyez le château sur le bord de cette
rivière, au bout de la prairie. Nous sommes ses très
humbles esclaves; le seigneur Ogul est malade; son   5
médecin lui a ordonné de manger un basilic cuit dans
l'eau de rose; et, comme c'est un animal fort rare, qui
ne se laisse jamais prendre que par des femmes, le
seigneur Ogul a promis de choisir pour sa femme bien-
aimée celle de nous qui lui apportera un basilic; lais- 10
sez-moi chercher, s'il vous plaît; car vous voyez ce
qu'il m'en coûterait si j'étais prévenue par mes
compagnes.

Zadig laissa cette Syrienne et les autres chercher
leur basilic, et continua de marcher dans la prairie.   15
Quand il fut au bord d'un petit ruisseau, il y trouva
une autre dame couchée sur le gazon, et qui ne cherchait rien. Sa taille paraissait majestueuse, mais son
visage était couvert d'un voile. Elle était penchée
vers le ruisseau; de profonds soupirs sortaient de sa   20
bouche. Elle tenait en main une petite baguette, avec
laquelle elle traçait des caractères sur un sable fin qui
se trouvait entre le gazon et le ruisseau. Zadig eut la
curiosité de voir ce que cette femme écrivait; il s'approcha, il vit la lettre Z, puis un A, il fut étonné; puis 25
parut un D; il tressaillit. Jamais surprise ne fut égale
à la sienne, quand il vit les deux dernières lettres de son
nom. Il demeura quelque temps immobile; enfin,
rompant le silence d'une voix entrecoupée: O généreuse dame! pardonnez à un étranger, à un infortuné,   30
d'oser vous demander par quelle aventure étonnante je
trouve ici le nom de Zadig tracé de votre main divine.

A cette voix, à ces paroles, la dame releva son voile
d'une main tremblante, regarda Zadig, jeta un cri d'attendrissement, de surprise et de joie, et, succombant
sous tous les mouvements divers qui assaillaient à la
5 fois son âme, elle tomba évanouie entre ses bras.
C'était Astarté elle-même, c'était la reine de Babylone,
c'était celle que Zadig adorait, et qu'il se reprochait
d'adorer; c'était celle dont il avait tant pleuré et tant
craint la destinée.   Il fut un moment privé de l'usage
10 de ses sens; et quand il eut attaché ses regards sur les
yeux d'Astarté, qui se rouvraient avec une langueur
mêlée de confusion et de tendresse: O puissances im-
mortelles! s'écria-t-il, qui présidez aux destins des
faibles humains, me rendez-vous Astarté?   En quel
15 temps, en quels lieux, en quel état la revois-je!   Il se
jeta à genoux devant Astarté, et il attacha son front
à la poussière de ses pieds.   La reine de Babylone le
relève, et le fait asseoir auprès d'elle sur le bord de ce
ruisseau; elle essuyait à plusieurs reprises ses yeux
20 dont les larmes recommençaient toujours à couler.
Elle reprenait vingt fois des discours que ses gémissements interrompaient; elle l'interrogeait sur le hasard
qui les rassemblait, et prévenait soudain ses réponses
par d'autres questions.   Elle entamait le récit de ses
25 malheurs, et voulait savoir ceux de Zadig.   Enfin tous
deux ayant un peu apaisé le tumulte de leurs âmes,
Zadig lui conta en peu de mots par quelle aventure il
se trouvait dans cette prairie.   Mais, ô malheureuse
et respectable reine! comment vous retrouvé-je en ce
30 lieu écarté, vêtue en esclave, et accompagnée d'autres
femmes esclaves qui cherchent un basilic pour le faire
cuire dans de l'eau de rose par ordonnance du médecin?

— Pendant qu'elles cherchent leur basilic, dit la belle
Astarté, je vais vous apprendre tout ce que j'ai souf-
fert, et tout ce que je pardonne au Ciel depuis que je
vous revois. Vous savez que le roi mon mari trouva
mauvais que vous fussiez le plus aimable de tous les ⁵
hommes ; et ce fut pour cette raison qu'il prit une nuit
la résolution de vous faire étrangler et de m'empoisonner. Vous savez comme le Ciel permit que mon
petit muet m'avertît de l'ordre de Sa sublime Majesté.
A peine le fidèle Cador vous eut-il forcé de m'obéir ¹⁰
et de partir, qu'il osa entrer chez moi au milieu de la
nuit par une issue secrète. Il m'enleva et me conduisit dans le temple d'Orosmade, où le mage, son
frère, m'enferma dans une statue colossale dont la base
touche aux fondements du temple, et dont la tête atteint ¹⁵
la voûte. Je fus là comme ensevelie, mais servie par
le mage, et ne manquant d'aucune chose nécessaire.
Cependant au point du jour l'apothicaire de Sa Majesté entra dans ma chambre avec une potion mêlée
de jusquiame, d'opium, de ciguë, d'ellébore noir, et ²⁰
d'aconit ; et un autre officier alla chez vous avec un
lacet de soie bleue. On ne trouva personne. Cador,
pour mieux tromper le roi, feignit de venir nous accuser tous deux. Il dit que vous aviez pris la route des
Indes, et moi celle de Memphis : on envoya des satel- ²⁵
lites après vous et après moi.

Les courriers qui me cherchaient ne me connais-
saient pas. Je n'avais presque jamais montré mon
visage qu'à vous seul, en présence et par ordre de mon
époux. Ils coururent à ma poursuite, sur le portrait ³⁰
qu'on leur faisait de ma personne : une femme de la
même taille que moi, et qui peut-être avait plus de

charmes, s'offrit à leurs regards sur les frontières de
l'Égypte. Elle était éplorée, errante; ils ne doutèrent
pas que cette femme ne fût la reine de Babylone; ils
la menèrent à Moabdar. Leur méprise fit entrer
5 d'abord le roi dans une violente colère; mais bientôt,
ayant considéré de plus près cette femme, il la trouva
très belle, et fut consolé. On l'appelait Missouf. On
m'a dit depuis que ce nom signifie en langue égyptienne *la belle capricieuse*. Elle l'était en effet; mais
10 elle avait autant d'art que de caprice. Elle plut à
Moabdar. Elle le subjugua au point de se faire déclarer sa femme. Alors son caractère se développa tout
entier: elle se livra sans crainte à toutes les folies de
son imagination. Elle voulut obliger le chef des
15 mages, qui était vieux et goutteux, de danser devant
elle; et sur le refus du mage, elle le persécuta violemment. Elle ordonna à son grand-écuyer de lui faire
une tourte de confitures. Le grand-écuyer eut beau
lui représenter qu'il n'était point pâtissier, il fallut qu'il
20 fît la tourte; et on le chassa, parce qu'elle était trop
brûlée. Elle donna la charge de grand-écuyer à son
nain, et la place de chancelier à un page. C'est ainsi
qu'elle gouverna Babylone. Tout le monde me regret-
tait. Le roi, qui avait été assez honnête homme jus-
25 qu'au moment où il avait voulu m'empoisonner et
vous faire étrangler, semblait avoir noyé ses vertus
dans l'amour prodigieux qu'il avait pour la belle capricieuse. Il vint au temple le grand jour du feu
sacré. Je le vis implorer les dieux pour Missouf aux
30 pieds de la statue où j'étais renfermée. J'élevai la
voix; je lui criai: « Les dieux refusent les vœux d'un
roi devenu tyran, qui a voulu faire mourir une femme

raisonnable, pour épouser une extravagante.» Moabdar fut confondu de ces paroles au point que sa tête
se troubla. L'oracle que j'avais rendu, et la tyrannie
de Missouf, suffisaient pour lui faire perdre le jugement. Il devint fou en peu de jours.

Sa folie, qui parut un châtiment du Ciel, fut le
signal de la révolte. On se souleva, on courut aux
armes. Babylone, si longtemps plongée dans une mollesse oisive, devint le théâtre d'une guerre civile affreuse. On me tira du creux de ma statue, et on me
mit à la tête d'un parti. Cador courut à Memphis,
pour vous ramener à Babylone. Le prince d'Hyrcanie, apprenant ces funestes nouvelles, revint avec son
armée faire un troisième parti dans la Chaldée. Il
attaqua le roi, qui courut au-devant de lui avec son
extravagante Égyptienne. Moabdar mourut percé de
coups. Missouf tomba aux mains du vainqueur. Mon
malheur voulut que je fusse prise moi-même par un
parti hyrcanien, et qu'on me menât devant le prince
précisément dans le temps qu'on lui amenait Missouf.
Vous serez flatté, sans doute, en apprenant que le
prince me trouva plus belle que l'Égyptienne; mais
vous serez fâché d'apprendre qu'il me destina à son
sérail. Il me dit fort résolument que, dès qu'il aurait
fini une expédition militaire qu'il allait exécuter, il
viendrait à moi. Jugez de ma douleur. Mes liens
avec Moabdar étaient rompus, je pouvais être à Zadig; et je tombais dans les chaînes de ce barbare! Je
lui répondis avec toute la fierté que me donnaient mon
rang et mes sentiments. J'avais toujours entendu dire
que le Ciel attachait aux personnes de ma sorte un
caractère de grandeur qui d'un mot et d'un coup d'œil

faisait rentrer dans l'abaissement du plus profond respect les téméraires qui osaient s'en écarter. Je parlai
en reine, mais je fus traitée en demoiselle suivante.¹
L'Hyrcanien, sans daigner seulement m'adresser la
5 parole, dit à son eunuque noir que j'étais une imper-
tinente, mais qu'il me trouvait jolie. Il lui ordonna
d'avoir soin de moi et de me mettre au régime des
favorites, afin de me rafraîchir le teint, et de me rendre plus digne de ses faveurs, pour le jour où il aurait
10 la commodité de m'en honorer. Je lui dis que je me
tuerais : il répliqua, en riant, qu'on ne se tuait point,
qu'il était fait à ces façons-là, et me quitta comme un
homme qui vient de mettre un perroquet dans sa ménagerie. Quel état pour la première reine de l'univers,
15 et, je dirai plus, pour un cœur qui était à Zadig !

A ces paroles il se jeta à ses genoux, et les baigna
de larmes. Astarté le releva tendrement, et elle continua ainsi : Je me voyais au pouvoir d'un barbare, et
rivale d'une folle avec qui j'étais renfermée. Elle me
20 raconta son aventure d'Égypte. Je jugeai par les traits
dont elle vous peignait, par le temps, par le dromadaire sur lequel vous étiez monté, par toutes les cir-
constances, que c'était Zadig qui avait combattu pour
elle. Je ne doutai pas que vous ne fussiez à Mem-
25 phis ; je pris la résolution de m'y retirer. Belle Missouf, lui dis-je, vous êtes beaucoup plus plaisante que
moi, vous divertirez bien mieux que moi le prince
d'Hyrcanie. Facilitez-moi les moyens de me sauver ;
vous régnerez seule ; vous me rendrez heureuse, en
30 vous débarrassant d'une rivale. Missouf concerta avec
moi les moyens de ma fuite. Je partis donc secrètement avec une esclave égyptienne.

J'étais déjà près de l'Arabie, lorsqu'un fameux voleur nommé Arbogad, m'enleva et me vendit à des
marchands qui m'ont amenée dans ce château, où demeure le seigneur Ogul.   Il m'a achetée sans savoir
qui j'étais. C'est un homme voluptueux qui ne cherche   5
qu'à faire grande chère, et qui croit que Dieu l'a mis
au monde pour tenir table.   Il est d'un embonpoint
excessif qui est toujours prêt à le suffoquer.   Son
médecin qui n'a que peu de crédit auprès de lui quand
il digère bien, le gouverne despotiquement quand il a   10
trop mangé.   Il lui a persuadé qu'il le guérirait avec
un basilic cuit dans l'eau de rose.   Le seigneur Ogul
a promis sa main à celle de ses esclaves qui lui appor-
terait un basilic.   Vous voyez que je les laisse s'empresser à mériter cet honneur, et je n'ai jamais eu   15
moins d'envie de trouver ce basilic que depuis que le
Ciel a permis que je vous revisse.

Alors Astarté et Zadig se dirent tout ce que des
sentiments longtemps retenus, tout ce que leurs malheurs et leurs amours pouvaient inspirer aux cœurs   20
les plus nobles et les plus passionnés; et les génies qui
président à l'amour portèrent leurs paroles jusqu'à la
sphère de Vénus.

Les femmes rentrèrent chez Ogul sans avoir rien
trouvé.   Zadig se fit présenter à lui, et lui parla en   25
ces termes: Que la santé immortelle descende du ciel
pour avoir soin de tous vos jours!   Je suis médecin,
j'ai accouru vers vous sur le bruit de votre maladie,
et je vous ai apporté un basilic cuit dans l'eau de
rose.   Ce n'est pas que je prétende vous épouser: je   30
ne vous demande que la liberté d'une jeune esclave de
Babylone que vous avez depuis quelques jours; et je

consens de rester en esclavage à sa place si je n'ai pas
le bonheur de guérir le magnifique seigneur Ogul.

　　La proposition fut acceptée.　Astarté partit pour
Babylone avec le domestique de Zadig, en lui promet-
5 tant de lui envoyer incessamment un courrier pour
l'instruire de tout ce qui se serait passé.　Leurs adieux
furent aussi tendres que l'avait été leur reconnaissance.
Le moment où l'on se retrouve, et celui où l'on se sé-
pare sont les deux plus grandes époques de la vie,
10 comme dit le grand livre du Zend.　Zadig aimait la
reine autant qu'il le jurait, et la reine aimait Zadig
plus qu'elle ne le lui disait.

　　Cependant Zadig parla ainsi à Ogul : Seigneur, on
ne mange point mon basilic, toute sa vertu doit entrer
15 chez vous par les pores.　Je l'ai mis dans une petite
outre bien enflée et couverte d'une peau fine : il faut
que vous poussiez cette outre de toute votre force, et
que je vous la renvoie à plusieurs reprises ; et en peu
de jours de régime vous verrez ce que peut mon art.
20 Ogul, dès le premier jour, fut tout essoufflé, et crut
qu'il mourrait de fatigue.　Le second, il fut moins
fatigué, et dormit mieux.　En huit jours il recouvra
toute la force, la santé, la légèreté, et la gaieté de ses
plus brillantes années. — Vous avez joué au ballon, et
25 vous avez été sobre, lui dit Zadig : apprenez qu'il n'y
a point de basilic dans la nature, qu'on se porte toujours bien avec de la sobriété et de l'exercice, et que
l'art de faire subsister ensemble l'intempérance et la
santé est un art aussi chimérique que la pierre philo-
30 sophale, l'astrologie judiciaire, et la théologie des
mages.

　　Le premier médecin d'Ogul, sentant combien cet

homme était dangereux pour la médecine, s'unit avec
l'apothicaire du corps[1] pour envoyer Zadig chercher des
basilics dans l'autre monde.   Ainsi, après avoir été
toujours puni pour avoir bien fait, il était près de
périr pour avoir guéri un seigneur gourmand.   On   5
l'invita à un excellent dîner.   Il devait être empoisonné
au second service; mais il reçut un courrier de la belle
Astarté au premier.   Il quitta la table et partit. Quand
on est aimé d'une belle femme, dit le grand Zoroastre,
on se tire toujours d'affaire dans ce monde.   10

CHAPITRE XIX

LES COMBATS

La reine avait été reçue à Babylone avec les transports qu'on a toujours pour une belle princesse qui a
été malheureuse.   Babylone alors paraissait être plus
tranquille.   Le prince d'Hyrcanie avait été tué dans
un combat.   Les Babyloniens vainqueurs déclarèrent 15
qu'Astarté épouserait celui qu'on choisirait pour souverain.   On ne voulut point que la première place du
monde qui serait celle de mari d'Astarté et de roi de
Babylone, dépendît des intrigues et des cabales.   On
jura de reconnaître pour roi le plus vaillant et le plus 20
sage.   Une grande lice, bordée d'amphithéâtres magnifiquement ornés, fut formée à quelques lieues de la
ville.   Les combattants devaient s'y rendre armés de
toutes pièces.   Chacun d'eux avait derrière les amphithéâtres un appartement séparé, où il ne devait être 25
vu ni connu de personne.   Il fallait courir quatre
lances. Ceux qui seraient assez heureux pour vaincre

quatre chevaliers devaient combattre ensuite les uns
contre les autres de façon que celui qui resterait le
dernier maître du camp serait proclamé le vainqueur
des jeux. Il devait revenir quatre jours après avec
5 les mêmes armes, et expliquer les énigmes proposées
par les mages. S'il n'expliquait point les énigmes, il
n'était point roi, et il fallait recommencer à courir des
lances, jusqu'à ce qu'on trouvât un homme qui fût
vainqueur dans ces deux combats; car on voulait ab-
10 solument pour roi le plus vaillant et le plus sage. La
reine pendant tout ce temps, devait être étroitement
gardée: on lui permettait seulement d'assister aux
jeux couverte d'un voile; mais on ne souffrait pas
qu'elle parlât à aucun des prétendants, afin qu'il n'y
15 eût ni faveur ni injustice.

Voilà ce qu'Astarté faisait savoir à son amant, espé-
rant qu'il montrerait pour elle plus de valeur et d'esprit que personne. Il arriva sur le rivage de l'Euphrate, la veille de ce grand jour. Il fit inscrire sa
20 devise parmi celles des combattants, en cachant son
visage et son nom comme la loi l'ordonnait, et alla se
reposer dans l'appartement qui lui échut par le sort.
Son ami Cador qui était revenu à Babylone, après l'a-
voir inutilement cherché en Égypte, fit porter dans sa
25 loge une armure complète que la reine lui envoyait.
Il lui fit amener aussi de sa part le plus beau cheval
de Perse. Zadig reconnut Astarté à ces présents: son
courage et son amour en prirent de nouvelles forces
et de nouvelles espérances.

30 Le lendemain, la reine étant venue se placer sous
un dais de pierreries, et les amphithéâtres étant remplis de toutes les dames et de tous les ordres de Baby-

lone, les combattants parurent dans le cirque. Chacun
d'eux vint mettre sa devise aux pieds du grand mage.
On tira au sort les devises; celle de Zadig fut la dernière. Le premier qui s'avança était un seigneur très
riche, nommé Itobad, fort vain, peu courageux, très
maladroit, et sans esprit. Ses domestiques l'avaient
persuadé qu'un homme comme lui devait être roi; il
leur avait répondu: Un homme comme moi doit
régner; ainsi on l'avait armé de pied en cap. Il portait une armure d'or émaillée de vert, un panache vert,
une lance ornée de rubans verts. On s'aperçut d'a-
bord, à la manière dont Itobad gouvernait son cheval,
que ce n'était pas *un homme comme lui* à qui le ciel
réservait le sceptre de Babylone. Le premier chevalier qui courut contre lui le désarçonna; le second
le renversa sur la croupe de son cheval, les deux
jambes en l'air et les bras étendus. Itobad se remit,
mais de si mauvaise grâce que tout l'amphithéâtre se
mit à rire. Un troisième ne daigna pas se servir de
sa lance; mais en lui faisant une passe, il le prit par
la jambe droite et, lui faisant faire un demi-tour, il
le fit tomber sur le sable: les écuyers des jeux accou-
rurent à lui en riant, et le remirent en selle. Le quatrième combattant le prend par la jambe gauche et le
fait tomber de l'autre côté. On le conduisit avec des
huées à sa loge, où il devait passer la nuit selon la loi;
et il disait en marchant à peine: Quelle aventure pour
un homme comme moi!

Les autres chevaliers s'acquittèrent mieux de leur
devoir. Il y en eut qui vainquirent deux combattants
de suite; quelques-uns allèrent jusqu'à trois. Il n'y
eut que le prince Otame qui en vainquit quatre. En-

fin Zadig combattit à son tour : il désarçonna quatre
cavaliers de suite avec toute la grâce possible.   Il fallut donc voir qui serait vainqueur d'Otame ou de Zadig.   Le premier portait des armes bleues et or, avec
5 un panache de même ; celles de Zadig étaient blanches.
Tous les vœux se partagaient entre le chevalier bleu
et le chevalier blanc.   La reine, à qui le cœur palpi-
tait, faisait des prières au Ciel pour la couleur blanche.
   Les deux champions firent des passes et des voltes
10 avec tant d'agilité, ils se donnèrent de si beaux coups
de lance, ils étaient si fermes sur leurs arçons, que
tout le monde, hors la reine, souhaitait qu'il y eût
deux rois dans Babylone.   Enfin, leurs chevaux étant
lassés et leurs lances rompues, Zadig usa de cette
15 adresse : il passe derrière le prince bleu, s'élance sur
la croupe de son cheval, le prend par le milieu du
corps, le jette à terre, se met en selle à sa place et
caracole autour d'Otame étendu sur la place.   Tout
l'amphithéâtre crie : Victoire au chevalier blanc !
20 Otame indigné se relève, tire son épée ; Zadig saute
de cheval, le sabre à la main.   Les voilà tous deux
sur l'arène, livrant un nouveau combat, où la force et
l'agilité triomphent tour à tour.   Les plumes de leur
casque, les clous de leurs brassards, les mailles de leur
25 armure sautent au loin sous mille coups précipités.
Ils frappent de pointe et de taille, à droite, à gauche,
sur la tête, sur la poitrine ; ils reculent, ils avancent,
ils se mesurent, ils se rejoignent, ils se saisissent, ils
se replient comme des serpents, ils s'attaquent comme
30 des lions ; le feu jaillit à tout moment des coups qu'ils
se portent.   Enfin Zadig ayant un moment repris ses
esprits, s'arrête, fait une feinte, passe sur Otame, le

fait tomber, le désarme, et Otame s'écrie : O chevalier
blanc ! c'est vous qui devez régner sur Babylone.   La
reine était au comble de la joie.   On reconduisit le
chevalier bleu et le chevalier blanc chacun à leur loge,
ainsi que tous les autres, selon ce qui était porté par   5
la loi.   Des muets vinrent les servir et leur apporter
à manger.   On peut juger si le petit muet de la reine
ne fut pas celui qui servit Zadig.   Ensuite on les laissa
dormir seuls jusqu'au lendemain matin, temps où le
vainqueur devait apporter sa devise au grand mage,   10
pour la confronter et se faire reconnaître.

Zadig dormit, quoique amoureux, tant il était fatigué.   Itobad, qui était couché auprès de lui, ne dormit
point.   Il se leva pendant la nuit, entra dans sa loge,
prit les armes blanches de Zadig avec sa devise, et   15
mit son armure verte à la place.   Le point du jour
étant venu, il alla fièrement au grand mage déclarer
qu'un homme comme lui était vainqueur.   On ne s'y
attendait pas ; mais il fut proclamé pendant que Zadig
dormait encore.   Astarté, surprise, et le désespoir   20
dans le cœur, s'en retourna dans Babylone.   Tout
l'amphithéâtre était déjà presque vide, lorsque Zadig
s'éveilla ; il chercha ses armes, et ne trouva que cette
armure verte.   Il était obligé de s'en couvrir n'ayant
rien autre chose auprès de lui.   Étonné et indigné, il   25
les endosse avec fureur, il avance dans cet équipage.

Tout ce qui était encore sur l'amphithéâtre et dans
le cirque le reçut avec des huées.   On l'entourait ; on
lui insultait en face.   Jamais homme n'essuya des mor-
tifications si humiliantes.   La patience lui échappa ; il   30
écarta à coups de sabre la populace qui osait l'outrager ; mais il ne savait quel parti prendre.   Il ne

pouvait voir la reine; il ne pouvait réclamer l'armure blanche qu'elle lui avait envoyée; c'eût été la compromettre : ainsi, tandis qu'elle était plongée dans la douleur, il était pénétré de fureur et d'inquiétude. Il se
5 promenait sur les bords de l'Euphrate, persuadé que son étoile le destinait à être malheureux sans ressource, repassant dans son esprit toutes ses disgrâces depuis l'aventure de la femme qui haïssait les borgnes, jusqu'à celle de son armure. Voilà ce que c'est, disait-il,
10 de m'être éveillé trop tard; si j'avais moins dormi, je serais roi de Babylone, je posséderais Astarté. Les sciences, les mœurs, le courage, n'ont donc jamais servi qu'à mon infortune. Il lui échappa enfin de murmurer contre la Providence, et il fut tenté de
15 croire que tout était gouverné par une destinée cruelle qui opprimait les bons et qui faisait prospérer les chevaliers verts. Un de ses chagrins était de porter cette armure verte qui lui avait attiré tant de huées. Un marchand passa, il la lui vendit à vil prix et prit du
20 marchand une robe et un bonnet long. Dans cet équipage, il côtoyait l'Euphrate, rempli de désespoir et accusant en secret la Providence qui le persécutait toujours.

CHAPITRE XX

L'ERMITE [1]

IL rencontra en marchant un ermite, dont la barbe
25 blanche et vénérable lui descendait jusqu'à la ceinture. Il tenait en main un livre qu'il lisait attentivement. Zadig s'arrêta, et lui fit une profonde inclination. L'ermite le salua d'un air si noble et si doux,

que Zadig eut la curiosité de l'entretenir.   Il lui demanda quel livre il lisait. — C'est le livre des destinées, dit l'ermite ; voulez-vous en lire quelque chose ?
Il mit le livre dans les mains de Zadig, qui, tout instruit qu'il était dans plusieurs langues, ne put dé-   5
chiffrer un seul caractère du livre.   Cela redoubla encore sa curiosité. — Vous me paraissez bien chagrin,
lui dit ce bon père. — Hélas ! que j'en ai sujet ! dit
Zadig. — Si vous permettez que je vous accompagne,
repartit le vieillard, peut-être vous serai-je utile : j'ai   10
quelquefois répandu des sentiments de consolation dans
l'âme des malheureux.   Zadig se sentit du respect
pour l'air, pour la barbe, et pour le livre de l'ermite.
Il lui trouva dans la conversation des lumières supé-
rieures.   L'ermite parlait de la destinée, de la justice,   15
de la morale, du souverain bien, de la faiblesse humaine, des vertus et des vices, avec une éloquence si
vive et si touchante, que Zadig se sentit entraîné vers
lui par un charme invincible.   Il le pria avec instance
de ne le point quitter, jusqu'à ce qu'ils fussent de re-   20
tour à Babylone.   Je vous demande moi-même cette
grâce, lui dit le vieillard ; jurez-moi par Orosmade
que vous ne vous séparerez point de moi d'ici à quelques jours, quelque chose que je fasse.   Zadig jura,
et ils partirent ensemble.   25

    Les deux voyageurs arrivèrent le soir à un château
superbe.   L'ermite demanda l'hospitalité pour lui et
pour le jeune homme qui l'accompagnait.   Le portier,
qu'on aurait pris pour un grand seigneur, les introduisit avec une espèce de bonté dédaigneuse.   On les   30
présenta à un principal domestique, qui leur fit voir
les appartements magnifiques du maître.   Ils furent

admis à sa table au bas bout, sans que le seigneur du château les honorât d'un regard; mais ils furent servis comme les autres avec délicatesse et profusion. On leur donna ensuite à laver dans un bassin d'or garni d'émeraudes et de rubis. On les mena coucher dans un bel appartement, et le lendemain matin un domestique leur apporta à chacun une pièce d'or, après quoi on les congédia.

— Le maître de la maison, dit Zadig en chemin, me paraît être un homme généreux, quoique un peu fier; il exerce noblement l'hospitalité. En disant ces paroles, il aperçut qu'une espèce de poche très large que portait l'ermite paraissait tendue et enflée: il y vit le bassin d'or garni de pierreries, que celui-ci avait volé. Il n'osa d'abord en rien témoigner; mais il était dans une étrange surprise.

Vers le midi, l'ermite se présenta à la porte d'une maison très petite, où logeait un riche avare; il y demanda l'hospitalité pour quelques heures. Un vieux valet mal habillé le reçut d'un ton rude, et fit entrer l'ermite et Zadig dans l'écurie, où on leur donna quelques olives pourries, de mauvais pain et de la bière gâtée. L'ermite but et mangea d'un air aussi content que la veille; puis s'adressant à ce vieux valet qui les observait tous deux pour voir s'ils ne volaient rien, et qui les pressait de partir, il lui donna les deux pièces d'or qu'il avait reçues le matin, et le remercia de toutes ses attentions. — Je vous prie, ajouta-t-il, faites-moi parler à votre maître. Le valet étonné introduisit les deux voyageurs: Magnifique seigneur, dit l'ermite, je ne puis que vous rendre de très humbles grâces de la manière noble dont vous nous avez

reçus : daignez accepter ce bassin d'or comme un faible
gage de ma reconnaissance. L'avare fut près de tomber à la renverse. L'ermite ne lui donna pas le temps
de revenir de son saisissement, il partit au plus vite
avec son jeune voyageur. — Mon père, lui dit Zadig, 5
qu'est-ce que tout ce que je vois ? Vous ne me paraissez ressembler en rien aux autres hommes : vous
volez un bassin d'or garni de pierreries à un seigneur
qui vous reçoit magnifiquement, et vous le donnez à
un avare qui vous traite avec indignité. — Mon fils, 10
répondit le vieillard, cet homme magnifique, qui ne
reçoit les étrangers que par vanité et pour faire admirer ses richesses, deviendra plus sage ; l'avare apprendra à exercer l'hospitalité : ne vous étonnez de
rien, et suivez-moi. Zadig ne savait encore s'il avait 15
affaire au plus fou ou au plus sage de tous les
hommes ; mais l'ermite parlait avec tant d'ascendant,
que Zadig, lié d'ailleurs par son serment, ne put s'empêcher de le suivre.

Ils arrivèrent le soir à une maison agréablement 20
bâtie, mais simple, où rien ne sentait ni la prodigalité
ni l'avarice. Le maître était un philosophe retiré du
monde, qui cultivait en paix la sagesse et la vertu, et
qui cependant ne s'ennuyait pas. Il s'était plu à bâtir
cette retraite dans laquelle il recevait les étrangers 25
avec une noblesse qui n'avait rien de l'ostentation. Il
alla lui-même au-devant des deux voyageurs, qu'il fit
reposer d'abord dans un appartement commode. Quelque temps après, il les vint prendre lui-même pour les
inviter à un repas propre et bien entendu, pendant 30
lequel il parla avec discrétion des dernières révolu-
tions de Babylone. Il parut sincèrement attaché à la

reine, et souhaita que Zadig eût paru dans la lice pour
disputer la couronne; mais les hommes, ajouta-t-il, ne
méritent pas d'avoir un roi comme Zadig.   Celui-ci
rougissait et sentait redoubler ses douleurs.   On con-
vint dans la conversation que les choses de ce monde
n'allaient pas toujours au gré des plus sages.   L'ermite soutint toujours qu'on ne connaissait pas les voies
de la Providence, et que les hommes avaient tort de
juger d'un tout dont ils n'apercevaient que la plus
petite partie.

On parla des passions. — Ah! qu'elles sont funestes!
disait Zadig. — Ce sont les vents qui enflent les voîles
du vaisseau, repartit l'ermite: elles le submergent
quelquefois; mais sans elles il ne pourrait voguer.   La
bile rend colère et malade; mais sans la bile l'homme
ne saurait vivre.   Tout est dangereux ici-bas, et tout
est nécessaire.

On parla de plaisir, et l'ermite prouva que c'est un
présent de la Divinité; car, dit-il, l'homme ne peut se
donner ni sensations ni idées, il reçoit tout; la peine
et le plaisir lui viennent d'ailleurs comme son être.

Zadig admirait comment un homme qui avait fait
des choses si extravagantes pouvait raisonner si bien.
Enfin, après un entretien aussi instructif qu'agréable,
l'hôte reconduisit ses deux voyageurs dans leur appartement, en bénissant le ciel qui lui avait envoyé deux
hommes si sages et si vertueux.   Il leur offrit de l'argent d'une manière aisée et noble qui ne pouvait déplaire.   L'ermite le refusa, et lui dit qu'il prenait congé
de lui, comptant partir pour Babylone avant le jour.
Leur séparation fut tendre, Zadig surtout se sentait plein
d'estime et d'inclination pour un homme si aimable.

Quand l'ermite et lui furent dans leur appartement, ils firent longtemps l'éloge de leur hôte. Le vieillard au point du jour éveilla son camarade. — Il faut partir, dit-il; mais tandis que tout le monde dort encore, je veux laisser à cet homme un témoignage de mon estime et de mon affection. En disant ces mots, il prit un flambeau, et mit le feu à la maison. Zadig épouvanté jeta des cris, et voulut l'empêcher de commettre une action si affreuse. L'ermite l'entraînait par une force supérieure; la maison était enflammée. L'ermite, qui était déjà assez loin avec son compagnon, la regardait brûler tranquillement. — Dieu merci! dit-il, voilà la maison de mon cher hôte détruite de fond en comble! L'heureux homme! A ces mots Zadig fut tenté à la fois d'éclater de rire, de dire des injures au révérend père, de le battre, et de s'enfuir; mais il ne fit rien de tout cela, et, toujours subjugué par l'ascendant de l'ermite, il le suivit malgré lui à la dernière couchée.

Ce fut chez une veuve charitable et vertueuse qui avait un neveu de quatorze ans, plein d'agréments, et son unique espérance. Elle fit du mieux qu'elle put les honneurs de sa maison. Le lendemain, elle ordonna à son neveu d'accompagner les voyageurs jusqu'à un pont qui, étant rompu depuis peu, était devenu un passage dangereux. Le jeune homme empressé marche au-devant d'eux. Quand ils furent sur le pont: — Venez, dit l'ermite au jeune homme, il faut que je marque ma reconnaissance à votre tante. Il le prend alors par les cheveux et le jette dans la rivière. L'enfant tombe, reparaît un moment sur l'eau, et est engouffré dans le torrent. — O monstre! ô le

plus scélérat de tous les hommes! s'écria Zadig. —
Vous m'aviez promis plus de patience, lui dit l'ermite
en l'interrompant : apprenez que sous les ruines 'de
cette maison où la Providence a mis le feu, le maître
5 a trouvé un trésor immense : apprenez que ce jeune
homme dont la Providence a tordu le cou aurait assassiné sa tante dans un an, et vous dans deux. —
Qui te l'a dit, barbare? cria Zadig ; et quand tu aurais lu cet événement dans ton livre des destinées,
10 t'est-il permis de noyer un enfant qui ne t'a point fait
de mal?

Tandis que le Babylonien parlait, il aperçut que le
vieillard n'avait plus de barbe, que son visage prenait
les traits de la jeunesse.   Son habit d'ermite disparut ;
15 quatre belles ailes couvraient un corps majestueux et
resplendissant de lumière. — O envoyé du Ciel! ô ange
divin! s'écria Zadig en se prosternant, tu es donc descendu de l'empyrée pour apprendre à un faible mortel
à se soumettre aux ordres éternels? — Les hommes,
20 dit l'ange Jesrad, jugent de tout sans rien connaître :
tu étais celui de tous les hommes qui méritait le plus
d'être éclairé.   Zadig lui demanda la permission de
parler.   Je me défie de moi-même, dit-il : mais oserai-
je te prier de m'éclaircir un doute : ne vaudrait-il pas
25 mieux avoir corrigé cet enfant, et l'avoir rendu vertueux, que de le noyer?   Jesrad reprit : S'il avait été
vertueux et s'il eût vécu, son destin était d'être assassiné lui-même avec la femme qu'il devait épouser, et
le fils qui en devait naître. — Mais quoi! dit Zadig, il
30 est donc nécessaire qu'il y ait des crimes et des malheurs? et les malheurs tombent sur les gens de bien!
— Les méchants, répondit Jesrad, sont toujours mal-

heureux : ils servent à éprouver un petit nombre de
justes répandus sur la terre, et il n'y a point de mal
dont il ne naisse un bien. — Mais, dit Zadig, s'il n'y
avait que du bien, et point de mal ? — Alors, reprit
Jesrad, cette terre serait une autre terre, l'enchaîne- 5
ment des événements serait un autre ordre de sagesse ;
et cet ordre, qui serait parfait, ne peut être que dans
la demeure éternelle de l'Être suprême, de qui le mal
ne peut approcher. Il a créé des millions de mondes,
dont aucun ne peut ressembler à l'autre. Cette im- 10
mense variété est un attribut de sa puissance immense.
Il n'y a ni deux feuilles d'arbre sur la terre, ni deux
globes dans les champs infinis du ciel, qui soient semblables, et tout ce que tu vois sur le petit atome où
tu es né devait être dans sa place et dans son temps 15
fixe, selon les ordres immuables de celui qui embrasse
tout. Les hommes pensent que cet enfant qui vient
de périr est tombé dans l'eau par hasard, que c'est
par un même hasard que cette maison est brûlée : mais
il n'y a point de hasard ; tout est épreuve, ou puni- 20
tion, ou récompense, ou prévoyance. Souviens-toi de
ce pêcheur qui se croyait le plus malheureux de tous
les hommes. Orosmade t'a envoyé pour changer sa
destinée. Faible mortel ! cesse de disputer contre ce
qu'il faut adorer. — Mais, dit Zadig. Comme il disait 25
mais,...l'ange prenait déjà son vol vers la dixième
sphère. Zadig à genoux adora la Providence, et se
soumit. L'ange lui cria du haut des airs : Prends ton
chemin vers Babylone.

CHAPITRE XXI

LES ÉNIGMES

ZADIG hors de lui-même, et comme un homme auprès
de qui est tombé le tonnerre, marchait au hasard. Il
entra dans Babylone le jour où ceux qui avaient combattu dans la lice étaient déjà assemblés dans le grand
5 vestibule du palais pour expliquer les énigmes, et pour
répondre aux questions du grand mage. Tous les
chevaliers étaient arrivés, excepté l'armure verte. Dès
que Zadig parut dans la ville, le peuple s'assembla
autour de lui; les yeux ne se rassasiaient point de le
10 voir, les bouches de le bénir, les cœurs de lui souhaiter
l'Empire. L'Envieux le vit passer, frémit et se dé-
tourna; le peuple le porta jusqu'au lieu de l'assemblée.
La reine, à qui on apprit son arrivée, fut en proie à
l'agitation de la crainte et de l'espérance; l'inquiétude
15 la dévorait : elle ne pouvait comprendre, ni pourquoi
Zadig était sans armes, ni comment Itobad portait
l'armure blanche. Un murmure confus s'éleva à la vue
de Zadig. On était surpris et charmé de le revoir; mais
il n'était permis qu'aux chevaliers qui avaient combattu
20 de paraître dans l'assemblée.

— J'ai combattu comme un autre, dit-il; mais un
autre porte ici mes armes; et en attendant que j'aie
l'honneur de le prouver, je demande la permission de
me présenter pour expliquer les énigmes. On alla aux
25 voix : sa réputation de probité était encore si fortement imprimée dans les esprits, qu'on ne balança pas à
l'admettre.

Le grand mage proposa d'abord cette question :

Quelle est de toutes les choses du monde la plus longue
et la plus courte, la plus prompte et la plus lente, la
plus divisible et la plus étendue, la plus négligée et la
plus regrettée, sans qui rien ne se peut faire, qui
dévore tout ce qui est petit, et qui vivifie tout ce qui 5
est grand?

    C'était à Itobad à parler. Il répondit qu'un homme
comme lui n'entendait rien aux énigmes, et qu'il lui
suffisait d'avoir vaincu à grands coups de lance. Les
uns dirent que le mot de l'énigme était la fortune, 10
d'autres la terre, d'autres la lumière. Zadig dit que
c'était le temps: Rien n'est plus long, ajouta-t-il, puisqu'il est la mesure de l'éternité, rien n'est plus court,
puisqu'il manque à tous nos projets; rien n'est plus
lent pour qui attend; rien de plus rapide pour qui 15
jouit; il s'étend jusqu'à l'infini en grand; il se divise
jusque dans l'infini en petit; tous les hommes le négli-
gent, tous en regrettent la perte; rien ne se fait sans
lui; il fait oublier tout ce qui est indigne de la postérité,
et il immortalise les grandes choses. L'assemblée con- 20
vint que Zadig avait raison.

    On demanda ensuite: Quelle est la chose qu'on
reçoit sans remercier, dont on jouit sans savoir comment, et qu'on perd sans s'en apercevoir?

    Chacun dit son mot: Zadig devina seul que c'était 25
la vie. Il expliqua toutes les autres énigmes avec la
même facilité. Itobad disait toujours que rien n'était
plus aisé, et qu'il en serait venu à bout tout aussi
facilement, s'il avait voulu s'en donner la peine. On
proposa des questions sur la justice, sur le souverain 30
bien, sur l'art de régner. Les réponses de Zadig
furent jugées les plus solides. C'est bien dommage,

disait-on, qu'un si bon esprit soit un si mauvais cavalier.

— Illustres seigneurs, dit Zadig, j'ai eu l'honneur de vaincre dans la lice. C'est à moi qu'appartient l'armure 5 blanche. Le seigneur Itobad s'en empara pendant mon sommeil : il jugea apparemment qu'elle lui siérait mieux que la verte. Je suis prêt à lui prouver d'abord devant vous, avec ma robe et mon épée, contre toute cette belle armure blanche qu'il m'a prise, que c'est moi 10 qui ai eu l'honneur de vaincre le brave Otame.

Itobad accepta le défi avec la plus grande confiance. Il ne doutait pas qu'étant casqué, cuirassé, brassardé, il ne vînt aisément à bout d'un champion en bonnet de nuit et en robe de chambre. Zadig tira son épée, en 15 saluant la reine qui le regardait, pénétrée de joie et de crainte. Itobad tira la sienne, en ne saluant personne. Il s'avança vers Zadig comme un homme qui n'avait rien à craindre. Il était prêt à lui fendre la tête : Zadig sut parer le coup, en opposant ce qu'on appelle le fort 20 de l'épée au faible de son adversaire, de façon que l'épée d'Itobad se rompit. Alors Zadig saisissant son ennemi au corps le renversa par terre, et, lui portant la pointe de son épée au défaut de la cuirasse : Laissez-vous désarmer, dit-il, ou je vous tue. Itobad, toujours 25 surpris des disgrâces qui arrivaient à un homme comme lui, laissa faire Zadig, qui lui ôta paisiblement son magnifique casque, sa superbe cuirasse, ses beaux brassards, ses brillants cuissards ; s'en revêtit, et courut dans cet équipage se jeter aux genoux d'Astarté. Cador 30 prouva aisément que l'armure appartenait à Zadig. Il fut reconnu roi d'un consentement unanime, et surtout de celui d'Astarté, qui goûtait, après tant d'adversités, la douceur de voir son amant digne aux yeux de l'univers d'être son époux. Itobad alla se faire appeler monseigneur dans sa maison. Zadig fut roi, et heureux. Il avait présent à l'esprit ce que lui avait dit l'ange Jesrad. Il se souvenait même du grain de sable devenu diamant. La reine et lui adorèrent la Providence. Zadig laissa la belle capricieuse Missouf courir le monde. Il envoya chercher le brigand Arbogad, auquel il donna un grade honorable dans son armée, avec promesse de l'avancer aux premières dignités, s'il se comportait en vrai guerrier, et de le faire pendre, s'il faisait le métier de brigand.

Sétoc fut appelé du fond de l'Arabie, avec la belle Almona, pour être à la tête du commerce de Babylone. Cador fut placé et chéri selon ses services; il fut l'ami du roi, et le roi fut alors le seul monarque de la terre qui eût un ami. Le petit muet ne fut pas oublié. On donna une belle maison au pêcheur. Orcan fut condamné à lui payer une grosse somme, et à lui rendre sa femme; mais le pêcheur, devenu sage, ne prit que l'argent.

Ni la belle Sémire ne se consolait d'avoir cru que Zadig serait borgne, ni Azora ne cessait de pleurer d'avoir voulu lui couper le nez. Il adoucit leurs douleurs par des présents. L'Envieux mourut de rage et de honte. L'Empire jouit de la paix, de la gloire et de l'abondance : ce fut le plus beau siècle de la terre; elle était gouvernée par la justice et par l'amour. On bénissait Zadig, et Zadig bénissait le Ciel.[1]

MICROMÉGAS

HISTOIRE PHILOSOPHIQUE

(1752)

CHAPITRE I

VOYAGE D'UN HABITANT DU MONDE DE L'ÉTOILE SIRIUS DANS LA PLANÈTE DE SATURNE

Dans une de ces planètes qui tournent autour de
l'étoile nommée Sirius, il y avait un jeune homme de
beaucoup d'esprit, que j'ai eu l'honneur de connaître
dans le dernier voyage qu'il fit sur notre petite fourmi-
5 lière; il s'appelait Micromégas, nom qui convient fort
à tous les grands. Il avait huit lieues de haut: j'entends par huit lieues, vingt-quatre mille pas géomé-
triques de cinq pieds chacun.

Quelques géomètres, gens toujours utiles au public,
10 prendront sur-le-champ la plume, et trouveront que,
puisque M. Micromégas, habitant du pays de Sirius,
a de la tête aux pieds vingt-quatre mille pas, qui font
cent vingt mille pieds de roi, et que nous autres citoyens
de la Terre nous n'avons guère que cinq pieds, et que
15 notre globe a neuf mille lieues de tour; ils trouveront,
dis-je, qu'il faut absolument que le globe qui l'a produit
ait au juste vingt-un millions six cent mille fois plus
de circonférence que notre petite Terre. Rien n'est plus
simple et plus ordinaire dans la nature. Les États
20 de quelques souverains d'Allemagne ou d'Italie, dont

on peut faire le tour en une demi-heure, comparés à
l'empire de Turquie, de Moscovie ou de la Chine, ne
sont qu'une très faible image des prodigieuses différences que la nature a mises dans tous les êtres.

La taille de Son Excellence étant de la hauteur que   5
j'ai dite, tous nos sculpteurs et tous nos peintres con-
viendront sans peine que sa ceinture peut avoir cinquante mille pieds de roi de tour ; ce qui fait une très
jolie proportion.

Quant à son esprit, c'est un des plus cultivés que   10
nous ayons ; il sait beaucoup de choses ; il en a inventé
quelques-unes : il n'avait pas encore deux cent cinquante ans, et il étudiait, selon la coutume, au collège
des jésuites[1] de sa planète, lorsqu'il devina, par la force
de son esprit, plus de cinquante propositions d'Euclide.   15
C'est dix-huit de plus que Blaise Pascal,[2] lequel, après
en avoir deviné trente-deux en se jouant, à ce que dit
sa sœur, devint depuis un géomètre assez médiocre,
et un fort mauvais métaphysicien. Vers les quatre cent
cinquante ans, au sortir de l'enfance, il disséqua beau-   20
coup de ces petits insectes qui n'ont pas cent pieds de
diamètre, et qui se dérobent aux microscopes ordinaires ; il en composa un livre fort curieux, mais qui lui
fit quelques affaires. Le mufti[3] de son pays, grand
vétillard et fort ignorant, trouva dans son livre des   25
propositions suspectes, malsonnantes, téméraires, héré-
tiques, sentant l'hérésie, et le poursuivit vivement : il
s'agissait de savoir si la forme substantielle des puces
de Sirius était de même nature que celle des colimaçons.
Micromégas se défendit avec esprit, il mit les femmes   30
de son côté ; le procès dura deux cent vingt ans. Enfin
le mufti fit condamner le livre par des jurisconsultes qui

ne l'avaient pas lu, et l'auteur eut ordre de ne paraître
à la cour de huit cents années.

Il ne fut que médiocrement affligé d'être banni d'une
cour qui n'était remplie que de tracasseries et de peti-
5 tesses. Il fit une chanson fort plaisante contre le mufti,
dont celui-ci ne s'embarrassa guère; et il se mit à
voyager de planète en planète, pour achever de se
former *l'esprit et le cœur*,[1] comme l'on dit. Ceux qui
ne voyagent qu'en chaise de poste ou en berline seront
10 sans doute étonnés des équipages de là-haut; car nous
autres, sur notre petit tas de boue, nous ne concevons
rien au delà de nos usages. Notre voyageur connaissait
merveilleusement les lois de la gravitation, et toutes
les forces attractives et répulsives. Il s'en servait si à
15 propos, que, tantôt à l'aide d'un rayon de soleil, tantôt
par la commodité d'une comète, il allait de globe en
globe, lui et les siens, comme un oiseau voltige de
branche en branche. Il parcourut la voie lactée en peu
de temps; et je suis obligé d'avouer qu'il ne vit jamais
20 à travers les étoiles dont elle est semée, ce beau ciel
empyrée que l'illustre vicaire Derham[2] se vante d'avoir
vu au bout de sa lunette. Ce n'est pas que je prétende
que M. Derham ait mal vu, à Dieu ne plaise! mais
Micromégas était sur les lieux, c'est un bon observa-
25 teur, et je ne veux contredire personne. Micromégas,
après avoir bien tourné, arriva dans le globe de Saturne.
Quelque accoutumé qu'il fût à voir des choses nouvelles, il ne put d'abord, en voyant la petitesse du globe
et de ses habitants, se défendre de ce sourire de supé-
30 riorité qui échappe quelquefois aux plus sages. Car
enfin Saturne n'est guère que neuf cents fois plus gros
que la Terre, et les citoyens de ce pays-là sont des

nains qui n'ont que mille toises de haut environ. Il
s'en moqua d'abord un peu avec ses gens, à peu près
comme un musicien italien se met à rire de la musique
de Lulli,[1] quand il vient en France. Mais, comme le
Sirien avait un bon esprit, il comprit bien vite qu'un 5
être pensant peut fort bien n'être pas ridicule pour
n'avoir que six mille pieds de haut. Il se familiarisa
avec les Saturniens, après les avoir étonnés. Il lia une
étroite amitié avec le secrétaire de l'Académie de Saturne,[2] homme de beaucoup d'esprit, qui n'avait, à la 10
vérité, rien inventé, mais qui rendait un fort beau
compte des inventions des autres, et qui faisait passablement de petits vers et de grands calculs. Je rappor-
terai ici, pour la satisfaction des lecteurs, une conversation singulière que Micromégas eut un jour avec M. 15
le secrétaire.

CHAPITRE II

CONVERSATION DE L'HABITANT DE SIRIUS AVEC CELUI
DE SATURNE

Après que Son Excellence se fut couchée, et que le
secrétaire se fut approché de son visage : Il faut avouer,
dit Micromégas, que la nature est bien variée. — Oui,
dit le Saturnien, la nature est comme un parterre dont 20
les fleurs... — Ah ! dit l'autre, laissez là votre parterre. — Elle est, reprit le secrétaire, comme une assemblée de blondes ou de brunes, dont les parures... —
Eh ! qu'ai-je à faire de vos brunes ? dit l'autre. —
Elle est donc comme une galerie de peintures dont les 25
traits... — Eh non ! dit le voyageur, encore une fois

la nature est comme la nature. Pourquoi lui chercher des comparaisons? — Pour vous plaire, répondit le secrétaire. — Je ne veux point qu'on me plaise, répondit le voyageur; je veux qu'on m'instruise: commencez

5 d'abord par me dire combien les hommes de votre globe ont de sens. — Nous en avons soixante et douze, dit l'académicien, et nous nous plaignons tous les jours du peu. Notre imagination va au delà de nos besoins; nous trouvons qu'avec nos soixante et douze sens, notre

10 anneau, nos cinq lunes, nous sommes trop bornés; et, malgré toute notre curiosité et le nombre assez grand de passions qui résultent de nos soixante et douze sens, nous avons tout le temps de nous ennuyer. — Je le crois bien, dit Micromégas; car dans notre globe nous avons

15 près de mille sens; et il nous reste encore je ne sais quel désir vague, je ne sais quelle inquiétude, qui nous avertit sans cesse que nous sommes peu de chose, et qu'il y a des êtres beaucoup plus parfaits. J'ai un peu voyagé: j'ai vu des mortels fort au-dessous de nous;

20 j'en ai vu de fort supérieurs: mais je n'en ai vu aucuns qui n'aient plus de désirs que de vrais besoins, et plus de besoins que de satisfaction. J'arriverai peut-être un jour au pays où il ne manque rien; mais jusqu'à présent personne ne m'a donné de nouvelles positives

25 de ce pays-là. Le Saturnien et le Sirien s'épuisèrent alors en conjectures; mais, après beaucoup de raison- nements fort ingénieux et fort incertains, il en fallut revenir aux faits. — Combien de temps vivez-vous? dit le Sirien. — Ah! bien peu, répliqua le petit homme de

30 Saturne. — C'est tout comme chez nous, dit le Sirien: nous nous plaignons toujours du peu. Il faut que ce soit une loi universelle de la nature. — Hélas! nous

ne vivons, dit le Saturnien, que cinq cents grandes révo-
lutions du soleil. (Cela revient à quinze mille ans ou
environ, à compter à notre manière.) Vous voyez
bien que c'est mourir presque au moment que l'on est
né; notre existence est un point, notre durée un ins- 5
tant, notre globe un atome. A peine a-t-on commencé
à s'instruire un peu que la mort arrive avant qu'on ait
de l'expérience. Pour moi, je n'ose faire aucuns projets; je me trouve comme une goutte d'eau dans un
océan immense. Je suis honteux, surtout devant vous, 10
de la figure ridicule que je fais dans ce monde.

Micromégas lui repartit: Si vous n'étiez pas philosophe, je craindrais de vous affliger en vous apprenant
que notre vie est sept cents fois plus longue que la
vôtre; mais vous savez trop bien que quand il faut 15
rendre son corps aux éléments, et ranimer la nature
sous une autre forme, ce qui s'appelle mourir; quand
ce moment de métamorphose est venu, avoir vécu une
éternité, ou avoir vécu un jour, c'est précisément la
même chose. J'ai été dans des pays où l'on vit mille fois 20
plus longtemps que chez moi, et j'ai trouvé qu'on y
murmurait encore. Mais il y a partout des gens de bon
sens qui savent prendre leur parti et remercier l'auteur
de la nature. Il a répandu sur cet univers une profusion de variétés avec une espèce d'uniformité admi- 25
rable. Par exemple, tous les êtres pensants sont différents, et tous se ressemblent au fond par le don de la
pensée et des désirs. La matière est partout étendue;
mais elle a dans chaque globe des propriétés diverses.
Combien comptez-vous de ces propriétés diverses dans 30
votre matière? — Si vous parlez de ces propriétés, dit
le Saturnien, sans lesquelles nous croyons que ce globe

ne pourrait subsister tel qu'il est, nous en comptons
trois cents, comme l'étendue, l'impénétrabilité, la mobilité, la gravitation, la divisibilité, et le reste. — Apparemment, répliqua le voyageur, que ce petit nombre
suffit aux vues que le Créateur avait sur votre petite
habitation.   J'admire en tout sa sagesse ; je vois partout des différences, mais aussi partout des propor-
tions.   Votre globe est petit, vos habitants le sont aussi ;
vous avez peu de sensations ; votre matière a peu de
propriétés : tout cela est l'ouvrage de la Providence.
De quelle couleur est votre soleil bien examiné ? —
D'un blanc fort jaunâtre, dit le Saturnien ; et, quand
nous divisons un de ses rayons, nous trouvons qu'il
contient sept couleurs. — Notre soleil tire sur le rouge,
dit le Sirien, et nous avons trente-neuf couleurs
primitives.   Il n'y a pas un soleil, parmi tous ceux
dont j'ai approché, qui se ressemble, comme chez vous
il n'y a pas un visage qui ne soit différent de tous les
autres.

Après plusieurs questions de cette nature, il s'informa combien de substances essentiellement diffé-
rentes on comptait dans Saturne.   Il apprit qu'on n'en
comptait qu'une trentaine, comme Dieu, l'espace, la
matière, les êtres étendus qui sentent, les êtres étendus qui sentent et qui pensent, les êtres pensants qui
n'ont point d'étendue ; ceux qui se pénètrent, ceux qui
ne se pénètrent pas, et le reste.   Le Sirien, chez qui on
en comptait trois cents, et qui en avait découvert trois
mille autres dans ses voyages, étonna prodigieusement
le philosophe de Saturne.   Enfin, après s'être communi-
qué l'un à l'autre un peu de ce qu'ils savaient et beaucoup de ce qu'ils ne savaient pas, après avoir raisonné

pendant une révolution du Soleil, ils résolurent de faire
ensemble un petit voyage philosophique.

CHAPITRE III

VOYAGE DES DEUX HABITANTS DE SIRIUS ET DE SATURNE

Nos deux philosophes étaient prêts à s'embarquer
dans l'atmosphère de Saturne, avec une jolie provision d'instruments de mathématiques, lorsque la maî- 5
tresse du Saturnien, qui en eut des nouvelles, vint
en larmes faire ses remontrances. C'était une jolie
petite brune qui n'avait que six cent soixante toises,
mais qui réparait par bien des agréments la petitesse
de sa taille. — Ah! cruel, s'écria-t-elle, après t'avoir 10
résisté quinze cents ans, lorsque enfin je commençais
à me rendre, tu me quittes pour aller voyager avec un
géant d'un autre monde ; va, tu n'es qu'un curieux, tu
n'as jamais eu d'amour : si tu étais un vrai Saturnien,
tu serais fidèle. Où vas-tu courir? que veux-tu? nos 15
cinq lunes sont moins errantes que toi, notre anneau
est moins changeant. Voilà qui est fait, je n'aimerai
jamais plus personne. Le philosophe l'embrassa, pleura
avec elle, tout philosophe qu'il était, et la dame, après
s'être pâmée, alla se consoler avec un petit-maître du 20
pays.

Cependant nos deux curieux partirent ; ils sautèrent
d'abord sur l'anneau, qu'ils trouvèrent assez plat, comme
l'a fort bien deviné un illustre habitant[1] de notre petit
globe ; de là ils allèrent de lune en lune. Une comète 25
passait tout auprès de la dernière ; ils s'élancèrent sur

elle avec leurs domestiques et leurs instruments. Quand
ils eurent fait environ cent cinquante millions de lieues,
ils rencontrèrent les satellites de Jupiter. Ils passèrent
dans Jupiter même, et y restèrent une année, pendant
5 laquelle ils apprirent de fort beaux secrets qui seraient
actuellement sous presse sans messieurs les inquisiteurs,
qui ont trouvé quelques propositions un peu dures.
Mais j'en ai lu le manuscrit dans la bibliothèque de
l'illustre archevêque de....., qui m'a laissé voir ses
10 livres avec cette générosité et cette bonté qu'on ne
saurait assez louer.

Mais revenons à nos voyageurs. En sortant de Jupiter, ils traversèrent un espace d'environ cent millions
de lieues, et ils côtoyèrent la planète de Mars, qui,
15 comme on sait, est cinq fois plus petite que notre petit
globe; ils virent deux lunes qui servent à cette planète,
et qui ont échappé aux regards de nos astronomes.
Je sais bien que le père Castel[1] écrira, et même assez
plaisamment, contre l'existence de ces deux lunes; mais
20 je m'en rapporte à ceux qui raisonnent par analogie.
Ces bons philosophes-là savent combien il serait difficile que Mars, qui est si loin du soleil, se passât à moins
de deux lunes. Quoi qu'il en soit, nos gens trouvèrent
cela si petit, qu'ils craignirent de n'y pas trouver de quoi
25 coucher, et ils passèrent leur chemin comme deux voyageurs qui dédaignent un mauvais cabaret de village, et
poussent jusqu'à la ville voisine. Mais le Sirien et son
compagnon se repentirent bientôt. Ils allèrent longtemps et ne trouvèrent rien. Enfin ils aperçurent une
30 petite lueur, c'était la Terre; cela fit pitié à des gens
qui venaient de Jupiter. Cependant, de peur de se
repentir une seconde fois, ils résolurent de débarquer

Ils passèrent sur la queue de la comète, et trouvant une
aurore boréale toute prête, ils se mirent dedans, et
arrivèrent à terre, sur le bord septentrional de la mer
Baltique, le cinq juillet mil sept cent trente-sept, nouveau style.[1]

CHAPITRE IV

CE QUI LEUR ARRIVE SUR LE GLOBE DE LA TERRE

Après s'être reposés quelque temps, ils mangèrent
à leur déjeuner deux montagnes, que leurs gens leur
apprêtèrent assez proprement. Ensuite ils voulurent
reconnaître le petit pays où ils étaient. Ils allèrent
d'abord du nord au sud. Les pas ordinaires du Sirien
et de ses gens étaient d'environ trente mille pieds de
roi; le nain de Saturne suivait de loin en haletant; or
il fallait qu'il fît environ douze pas, quand l'autre faisait une enjambée: figurez-vous (s'il est permis de
faire de telles comparaisons) un très petit chien de
manchon[2] qui suivrait un capitaine des gardes du roi
de Prusse.[3]

Comme ces étrangers-là vont assez vite, ils eurent
fait le tour du globe en trente-six heures; le Soleil à
la vérité, ou plutôt la Terre, fait un pareil voyage en
une journée; mais il faut songer qu'on va bien plus
à son aise quand on tourne sur son axe que quand on
marche sur ses pieds. Les voilà donc revenus d'où ils
étaient partis, après avoir vu cette mare, presque imperceptible pour eux, qu'on nomme *la Méditerranée,* et cet
autre petit étang qui, sous le nom du *grand Océan,*
entoure la taupinière. Le nain n'en avait eu jamais

qu'à mi-jambe, et à peine l'autre avait-il mouillé son
talon.   Ils firent tout ce qu'ils purent en allant et en
revenant dessus et dessous pour tâcher d'apercevoir
si ce globe était habité ou non.   Ils se baissèrent, ils
5 se couchèrent, ils tâtèrent partout ; mais leurs yeux et
leurs mains n'étant point proportionnés aux petits êtres
qui rampent ici, ils ne reçurent pas la moindre sensa-
tion qui pût leur faire soupçonner que nous et nos confrères les autres habitants de ce globe avons l'honneur
10 d'exister.

   Le nain, qui jugeait quelquefois un peu trop vite,
décida d'abord qu'il n'y avait personne sur la Terre.
Sa première raison était qu'il n'avait vu personne.
Micromégas lui fit sentir poliment que c'était raisonner
15 assez mal : Car, disait-il, vous ne voyez pas avec vos
petits yeux certaines étoiles de la cinquantième grandeur que j'aperçois très distinctement ; concluez-vous
de là que ces étoiles n'existent pas ? — Mais, dit le nain,
j'ai bien tâté. — Mais, répondit l'autre, vous avez mal
20 senti. — Mais, dit le nain, ce globe-ci est si mal cons-
truit, cela est si irrégulier et d'une forme qui me paraît
si ridicule ! tout semble être ici dans le chaos : voyez-
vous ces petits ruisseaux dont aucun ne va de droit fil,
ces étangs qui ne sont ni ronds, ni carrés, ni ovales,
25 ni sous aucune forme régulière ; tous ces petits grains
pointus dont ce globe est hérissé, et qui m'ont écorché
les pieds ? (Il voulait parler des montagnes.) Remar-
quez-vous encore la forme de tout le globe, comme il
est plat aux pôles, comme il tourne autour du Soleil
30 d'une manière gauche, de façon que les climats des
pôles sont nécessairement incultes ? En vérité, ce qui
fait que je pense qu'il n'y a ici personne, c'est qu'il

me paraît que des gens de bon sens ne voudraient pas
y demeurer. — Eh bien ! dit Micromégas, ce ne sont
peut-être pas non plus des gens de bon sens qui l'habitent.   Mais enfin il y a quelque apparence que ceci n'est
pas fait pour rien.   Tout vous paraît irrégulier ici, 5
dites-vous, parce que tout est tiré au cordeau dans
Saturne et dans Jupiter.   Eh ! c'est peut-être pour
cette raison-là même qu'il y a ici un peu de confusion.
Ne vous ai-je pas dit que dans mes voyages j'avais
toujours remarqué de la variété ? Le Saturnien répliqua 10
à toutes ces raisons.   La dispute n'eût jamais fini, si
par bonheur Micromégas, en s'échauffant à parler, n'eût
cassé le fil de son collier de diamants.   Les diamants
tombèrent ; c'étaient de jolis petits carats assez inégaux,
dont les plus gros pesaient quatre cents livres, et les 15
plus petits cinquante.   Le nain en ramassa quelques-
uns ; il s'aperçut, en les approchant de ses yeux, que
ces diamants, de la façon dont ils étaient taillés, étaient
d'excellents microscopes.   Il prit donc un petit microscope de cent soixante pieds de diamètre, qu'il appliqua 20
à sa prunelle ; et Micromégas en choisit un de deux
mille cinq cents pieds.   Ils étaient excellents ; mais
d'abord on ne vit rien par leur secours, il fallait s'ajuster.   Enfin l'habitant de Saturne vit quelque chose
d'imperceptible qui remuait entre deux eaux dans la 25
mer Baltique : c'était une baleine.   Il la prit avec le
petit doigt fort adroitement ; et, la mettant sur l'ongle
de son pouce, il la fit voir au Sirien, qui se mit à rire
pour la seconde fois de l'excès de petitesse dont étaient
les habitants de notre globe.   Le Saturnien, convaincu 30
que notre monde est habité, s'imagina bien vite qu'il
ne l'était que par des baleines, et comme il était grand

raisonneur, il voulut deviner d'où un si petit atome
tirait son mouvement, s'il avait des idées, une volonté,
une liberté. Micromégas y fut fort embarrassé ; il
examina l'animal fort patiemment, et le résultat de
5 l'examen fut qu'il n'y avait pas moyen de croire qu'une
âme fût logée là. Les deux voyageurs inclinaient donc
à penser qu'il n'y a point d'esprit dans notre habitation, lorsqu'à l'aide du microscope ils aperçurent quelque chose d'aussi gros qu'une baleine qui flottait sur
10 la mer Baltique. On sait que dans ce temps-là même
une volée de philosophes revenait du cercle polaire,
sous lequel ils avaient été faire des observations dont
personne ne s'était avisé jusqu'alors.[1] Les gazettes
dirent que leur vaisseau échoua aux côtes de Bothnie,
15 et qu'ils eurent bien de la peine à se sauver : mais on
ne sait jamais dans ce monde le dessous des cartes.[2] Je
vais raconter ingénument comme la chose se passa,
sans y rien mettre du mien ; ce qui n'est pas un petit
effort pour un historien.

CHAPITRE V

EXPÉRIENCES ET RAISONNEMENTS DES DEUX VOYAGEURS

20 MICROMÉGAS étendit la main tout doucement vers
l'endroit où l'objet paraissait, et avançant deux doigts,
et les retirant par la crainte de se tromper, puis les
ouvrant et les serrant, il saisit fort adroitement le
vaisseau qui portait ces messieurs, et le mit encore sur
25 son ongle, sans le trop presser, de peur de l'écraser.
— Voici un animal bien différent du premier, dit le nain
de Saturne ; le Sirien mit le prétendu animal dans le

creux de sa main. Les passagers et les gens de l'équipage, qui s'étaient crus enlevés par un ouragan, et qui
se croyaient sur une espèce de rocher, se mettent tous
en mouvement ; les matelots prennent des tonneaux
de vin, les jettent sur la main de Micromégas, et se   5
précipitent après. Les géomètres prennent leurs quarts
de cercle, leurs secteurs, deux filles laponnes,[1] et des-
cendent sur les doigts du Sirien. Ils en firent tant,
qu'il sentit enfin remuer quelque chose qui lui chatouil-
lait les doigts ; c'était un bâton ferré qu'on lui enfon- 10
çait d'un pied dans l'index : il jugea, par ce picotement,
qu'il était sorti quelque chose du petit animal qu'il
tenait ; mais il n'en soupçonna pas d'abord davantage.
Le microscope, qui faisait à peine discerner une baleine
et un vaisseau, n'avait point de prise sur un être aussi 15
imperceptible que des hommes. Je ne prétends choquer
ici la vanité de personne, mais je suis obligé de prier
les importants[2] de faire ici une petite remarque avec
moi ; c'est qu'en prenant la taille des hommes d'environ
cinq pieds, nous ne faisons pas sur la Terre une plus   20
grande figure qu'en ferait sur une boule de dix pieds
de tour un animal qui aurait à peu près la six cent-
millième partie d'un pouce en hauteur. Figurez-vous
une substance qui pourrait tenir la Terre dans sa main,
et qui aurait des organes en proportion des nôtres ; et 25
il se peut très bien faire qu'il y ait un grand nombre
de ces substances : or concevez, je vous prie, ce qu'elles
penseraient de ces batailles qui font gagner au vainqueur un village pour le perdre ensuite.

Je ne doute pas que si quelque capitaine des grands 30
grenadiers lit jamais cet ouvrage, il ne hausse de deux
grands pieds au moins les bonnets de sa troupe ; mais

je l'avertis qu'il aura beau faire, que lui et les siens ne
seront jamais que des infiniment petits.

   Quelle adresse merveilleuse ne fallut-il donc pas à
notre philosophe de Sirius, pour apercevoir les atomes
5 dont je viens de parler ? Quand Leuwenhoek et Hartsoeker[1] virent les premiers ou crurent voir la graine
dont nous sommes formés, ils ne firent pas, à beaucoup près, une si étonnante découverte. Quel plaisir
sentit Micromégas en voyant remuer ces petites machi-
10 nes, en examinant tous leurs tours, en les suivant dans
toutes leurs opérations ! comme il s'écria ! comme il
mit avec joie un de ses microscopes dans les mains de
son compagnon de voyage ! — Je les vois, disaient-ils
tous deux à la fois ; ne les voyez-vous pas qui portent
15 des fardeaux, qui se baissent, qui se relèvent. En parlant ainsi, les mains leur tremblaient, par le plaisir de
voir des objets si nouveaux, et par la crainte de les
perdre.

CHAPITRE VI

CE QUI LEUR ARRIVA AVEC LES HOMMES

   Micromégas, bien meilleur observateur que son nain,
20 vit clairement que les atomes se parlaient ; et il le fit
remarquer à son compagnon : — Je n'ose plus ni croire
ni nier, dit le nain ; je n'ai plus d'opinion ; il faut
tâcher d'examiner ces insectes, nous raisonnerons après.
— C'est fort bien dit, reprit Micromégas ; et aussitôt
25 il tira une paire de ciseaux dont il se coupa les ongles,
et d'une rognure de l'ongle de son pouce il fit sur-le-
champ une espèce de grande trompette parlante, comme

un vaste entonnoir, dont il mit le tuyau dans son oreille.
La circonférence de l'entonnoir enveloppait le vaisseau
et tout l'équipage. La voix la plus faible entrait dans
les fibres circulaires de l'ongle; de sorte que, grâce à
son industrie, le philosophe de là-haut entendit par- 5
faitement le bourdonnement de nos insectes de là-bas.
En peu d'heures il parvint à distinguer les paroles, et
enfin à entendre le français. Le nain en fit autant,
quoique avec plus de difficulté. L'étonnement des
voyageurs redoublait à chaque instant. Ils entendaient 10
des mites parler d'assez bon sens: ce jeu de la nature
leur paraissait inexplicable. Vous croyez bien que le
Sirien et son nain brûlaient d'impatience de lier conversation avec les atomes; le nain craignait que sa
voix de tonnerre, et surtout celle de Micromégas, n'as- 15
sourdît les mites sans en être entendue. Il fallait en
diminuer la force. Ils se mirent dans la bouche des
espèces de petits cure-dents, dont le bout fort effilé
venait donner auprès du vaisseau. Le Sirien tenait le
nain sur ses genoux, et le vaisseau avec l'équipage sur 20
son ongle; il baissait la tête et parlait bas. Enfin,
moyennant toutes ces précautions et bien d'autres encore, il commença ainsi son discours:

Insectes invisibles, que la main du Créateur s'est plu
à faire naître dans l'abîme de l'infiniment petit, je le 25
remercie de ce qu'il a daigné me découvrir des secrets
qui semblaient impénétrables. Peut-être ne daigne-
rait-on pas vous regarder à ma cour; mais je ne méprise personne, et je vous offre ma protection.

Si jamais il y eut quelqu'un d'étonné, ce furent les 30
gens qui entendirent ces paroles. Ils ne pouvaient deviner d'où elles partaient. L'aumônier du vaisseau récita

les prières des exorcismes, les matelots jurèrent, et les
philosophes du vaisseau firent des systèmes ; mais quelque système qu'ils fissent, ils ne purent jamais deviner
qui leur parlait. Le nain de Saturne, qui avait la voix
5 plus douce que Micromégas, leur apprit alors en peu
de mots à quelles espèces ils avaient affaire. Il leur
conta le voyage de Saturne, les mit au fait de ce qu'était
M. Micromégas ; et après les avoir plaints d'être si
petits, il leur demanda s'ils avaient toujours été dans
10 ce misérable état si voisin de l'anéantissement, ce qu'ils
faisaient dans un globe qui paraissait appartenir à des
baleines, s'ils étaient heureux, s'ils multipliaient, s'ils
avaient une âme, et cent autres questions de cette nature.

Un raisonneur de la troupe, plus hardi que les autres,
15 et choqué de ce qu'on doutait de son âme, observa
l'interlocuteur avec des pinnules braquées sur un quart
de cercle, fit deux stations, et à la troisième il parla
ainsi : Vous croyez donc, monsieur, parce que vous avez
mille toises depuis la tête jusqu'aux pieds, que vous
20 êtes un... — Mille toises ! s'écria le nain : juste ciel !
d'où peut-il savoir ma hauteur ? mille toises ! il ne se
trompe pas d'un pouce. Quoi ! cet atome m'a mesuré !
il est géomètre, il connaît ma grandeur ; et moi, qui ne
le vois qu'à travers un microscope, je ne connais pas
25 encore la sienne ! — Oui, je vous ai mesuré, dit le physicien, et je mesurerai bien encore votre grand compagnon. La proposition fut acceptée ; Son Excellence
se coucha de son long ; car, s'il se fût tenu debout, sa
tête eût été trop au-dessus des nuages. Puis, par une
30 suite de triangles liés ensemble, nos philosophes con-
clurent que ce qu'ils voyaient était en effet un jeune
homme de cent vingt mille pieds de roi.

Alors Micromégas prononça ces paroles : Je vois plus
que jamais qu'il ne faut juger de rien sur sa grandeur
apparente. O Dieu! qui avez donné une intelligence
à des substances qui paraissent si méprisables, l'infiniment petit vous coûte aussi peu que l'infiniment grand ;   5
et s'il est possible qu'il y ait des êtres plus petits que
ceux-ci, ils peuvent encore avoir un esprit supérieur
à ceux de ces superbes animaux que j'ai vus dans le
ciel, dont le pied seul couvrirait le globe où je suis
descendu.   10

Un des philosophes lui répondit qu'il pouvait en toute
sûreté croire qu'il est en effet des êtres intelligents
beaucoup plus petits que l'homme. Il lui conta, non
pas tout ce que Virgile a dit de fabuleux sur les abeilles, mais ce que Swammerdam[1] a découvert, et ce que 15
Réaumur[2] a disséqué. Il lui apprit enfin qu'il y a des
animaux qui sont pour les abeilles ce que les abeilles
sont pour l'homme, ce que le Sirien lui-même était pour
ces animaux si vastes dont il parlait, et ce que ces
grands animaux sont pour d'autres substances devant 20
lesquelles ils ne paraissent que comme des atomes. Peu
à peu la conversation devint intéressante, et Micromégas
parla ainsi :

CHAPITRE VII

CONVERSATION AVEC LES HOMMES

— O ATOMES intelligents, dans qui l'Être éternel s'est
plu à manifester son adresse et sa puissance, vous 25
devez, sans doute, goûter des joies bien pures sur votre
globe ; car ayant si peu de matière, et paraissant tout

esprit, vous devez passer votre vie à aimer et à penser;
c'est la véritable vie des esprits. Je n'ai vu nulle part
le vrai bonheur, mais il est ici, sans doute. A ce discours, tous les philosophes secouèrent la tête; et l'un
5 d'eux, plus franc que les autres, avoua de bonne foi
que, si l'on en excepte un petit nombre d'habitants fort
peu considérés, tout le reste est un assemblage de fous,
de méchants et de malheureux. — Nous avons plus de
matière qu'il ne nous en faut, dit-il, pour faire beau-
10 coup de mal, si le mal vient de la matière; et trop
d'esprit, si le mal vient de l'esprit. Savez-vous bien,
par exemple, qu'à l'heure que je vous parle,[1] il y a cent
mille fous de notre espèce, couverts de chapeaux, qui
tuent cent mille autres animaux couverts d'un turban,
15 ou qui sont massacrés par eux, et que, presque par
toute la terre, c'est ainsi qu'on en use de temps immé-
morial? Le Sirien frémit, et demanda quel pouvait
être le sujet de ces horribles querelles entre de si chétifs
animaux. — Il s'agit, dit le philosophe, de quelques tas
20 de boue grands comme votre talon. Ce n'est pas qu'aucun de ces millions d'hommes qui se font égorger prétende un fétu sur ce tas de boue. Il ne s'agit que de
savoir s'il appartiendra à un certain homme qu'on
nomme *Sultan,* ou à un autre qu'on nomme, je ne sais
25 pourquoi, *César.* Ni l'un ni l'autre n'a jamais vu ni
ne verra jamais le petit coin de terre dont il s'agit; et
presque aucun de ces animaux, qui s'égorgent mutuellement, n'a jamais vu l'animal pour lequel il s'égorge.
— Ah! malheureux! s'écria le Sirien avec indigna-
30 tion, peut-on concevoir cet excès de rage forcenée! Il
me prend envie de faire trois pas, et d'écraser de trois
coups de pied toute cette fourmilière d'assassins ridi-

cules. — Ne vous en donnez pas la peine, lui répon-
dit-on; ils travaillent assez à leur ruine. Sachez qu'au
bout de dix ans, il ne reste jamais la centième partie
de ces misérables; sachez que, quand même ils n'auraient pas tiré l'épée, la faim, la fatigue, ou l'intem- 5
pérance les emportent presque tous.   D'ailleurs, ce
n'est pas eux qu'il faut punir, ce sont ces barbares
sédentaires qui du fond de leur cabinet ordonnent,
dans le temps de leur digestion, le massacre d'un million d'hommes, et qui ensuite en font remercier Dieu 10
solennellement.   Le voyageur se sentait ému de pitié
pour la petite race humaine, dans laquelle il découvrait
de si étonnants contrastes. — Puisque vous êtes du petit
nombre des sages, dit-il à ces messieurs, et qu'apparemment vous ne tuez personne pour de l'argent, dites- 15
moi, je vous prie, à quoi vous vous occupez. — Nous
disséquons les mouches, dit le philosophe, nous mesu-
rons des lignes, nous assemblons des nombres; nous
sommes d'accord sur deux ou trois points que nous
entendons, et nous disputons sur deux ou trois mille 20
que nous n'entendons pas.   Il prit aussitôt fantaisie au
Sirien et au Saturnien d'interroger ces atomes pensants,
pour savoir les choses dont ils convenaient. — Combien
comptez-vous, dit celui-ci, de l'étoile de la Canicule à la
grande étoile des Gémeaux?   Ils répondirent tous à 25
la fois: Trente-deux degrés et demi. — Combien comptez-vous d'ici à la Lune? — Soixante demi-diamètres
de la terre en nombre rond. — Combien pèse votre air?
Il croyait les attraper, mais tous lui dirent que l'air
pèse environ neuf cents fois moins qu'un pareil volume 30
de l'eau la plus légère, et dix-neuf mille fois moins
que l'or de ducat.   Le petit nain de Saturne, étonné de

leurs réponses, fut tenté de prendre pour des sorciers
ces mêmes gens auxquels il avait refusé une âme un
quart d'heure auparavant.

Enfin Micromégas leur dit : Puisque vous savez si
5 bien ce qui est hors de vous, sans doute vous savez
encore mieux ce qui est en dedans. Dites-moi ce que
c'est que votre âme, et comment vous formez vos idées.
Les philosophes parlèrent tous à la fois comme auparavant ; mais ils furent tous de différents avis. Le plus
10 vieux citait Aristote, l'autre prononçait le nom de Descartes ;[1] celui-ci, de Malebranche ;[2] cet autre, de Leibnitz ;[3] cet autre, de Locke ;[4] un vieux péripatéticien dit
tout haut avec confiance : L'âme est une entéléchie,[5]
et une raison par qui elle a la puissance d'être ce qu'elle
15 est. C'est ce que déclare expressément Aristote, page
633 de l'édition du Louvre. Il cita le passage.

Je n'entends pas trop bien le grec, dit le géant. —
Ni moi non plus, dit la mite philosophique. — Pourquoi
donc, reprit le Sirien, citez-vous un certain Aristote en
20 grec ? — C'est, répliqua le savant, qu'il faut bien citer
ce qu'on ne comprend point du tout dans la langue qu'on
entend le moins.

Le cartésien prit la parole, et dit : L'âme est un
esprit pur qui a reçu dans le ventre de sa mère toutes
25 les idées métaphysiques, et qui, en sortant de là, est
obligé d'aller à l'école, et d'apprendre tout de nouveau
ce qu'elle a si bien su, et qu'elle ne saura plus. — Ce
n'était donc pas la peine, répondit l'animal de huit
lieues, que ton âme fût si savante dans le ventre de
30 ta mère, pour être si ignorante quand tu aurais de la
barbe au menton. Mais qu'entends-tu par esprit ? —
Que me demandez-vous là ? dit le raisonneur, je n'en

ai point d'idée ; on dit que ce n'est pas la matière. —
Mais sais-tu au moins ce que c'est que la matière ? —
Très bien, répondit l'homme. Par exemple cette pierre
est grise et d'une telle forme ; elle a ses trois dimen-
sions, elle est pesante et divisible. — Eh bien ! dit le ₅
Sirien, cette chose qui te paraît être divisible, pesante,
et grise, me diras-tu bien ce que c'est ? Tu vois quelques attributs ; mais le fond de la chose, le connais-tu ?
— Non, dit l'autre. — Tu ne sais donc point ce que c'est
que la matière.   10

Alors M. Micromégas, adressant la parole à un autre
sage qu'il tenait sur son pouce, lui demanda ce que
c'était que son âme, et ce qu'elle faisait. — Rien du tout,
répondit le philosophe malebranchiste ; c'est Dieu qui
fait tout pour moi ; je vois tout en lui ; je fais tout en ₁₅
lui ; c'est lui qui fait tout sans que je m'en mêle. —
Autant vaudrait ne pas être, reprit le sage de Sirius.
Et toi, mon ami, dit-il à un leibnitzien qui était là,
qu'est-ce que ton âme ? — C'est, répondit le leibnitzien,
une aiguille qui montre les heures pendant que mon ₂₀
corps carillonne ; ou bien, si vous voulez, c'est elle
qui carillonne pendant que mon corps montre l'heure ;
ou bien mon âme est le miroir de l'univers, et mon
corps est la bordure du miroir : tout cela est clair.

Un petit partisan de Locke était là tout auprès, et ₂₅
quand on lui eut enfin adressé la parole : Je ne sais
pas, dit-il, comment je pense, mais je sais que je
n'ai jamais pensé qu'à l'occasion de mes sens. Qu'il
y ait des substances immatérielles et intelligentes, c'est
de quoi je ne doute pas : mais qu'il soit impossible à ₃₀
Dieu de communiquer la pensée à la matière, c'est de
quoi je doute fort. Je révère la puissance éternelle ;

il ne m'appartient pas de la borner : je n'affirme rien;
je me contente de croire qu'il y a plus de choses pos-
sibles qu'on ne pense.

   L'animal de Sirius sourit : il ne trouva pas celui-là
5 le moins sage ; et le nain de Saturne aurait embrassé
le sectateur de Locke sans l'extrême disproportion
Mais il y avait là, par malheur, un petit animalcule en
bonnet carré qui occupa la parole à tous les animalcules
philosophes ; il dit qu'il savait tout le secret ; que cela
10 se trouvait dans la *Somme de saint Thomas;*[1] il regarda
de haut en bas les deux habitants célestes, il leur soutint que leurs personnes, leurs mondes, leurs soleils,
leurs étoiles, tout était fait uniquement pour l'homme.
A ce discours, nos deux voyageurs se laissèrent aller
15 l'un sur l'autre en étouffant de ce rire inextinguible qui,
selon Homère,[2] est le partage des dieux ; leurs épaules
et leurs ventres allaient et venaient, et dans ces con-
vulsions le vaisseau que le Sirien avait sur son ongle
tomba dans une poche de la culotte du Saturnien. Ces
20 deux bonnes gens le cherchèrent longtemps ; enfin ils
retrouvèrent l'équipage, et le rajustèrent fort proprement. Le Sirien reprit les petites mites ; il leur parla
encore avec beaucoup de bonté, quoiqu'il fût un peu
fâché dans le fond du cœur de voir que les infiniment
25 petits eussent un orgueil infiniment grand. Il leur promit de leur faire un beau livre de philosophie, écrit fort
menu pour leur usage, et que, dans ce livre, ils ver-
raient le bout des choses. Effectivement, il leur donna
ce volume avant son départ : on le porta à Paris à
30 l'Académie des sciences ; mais, quand le secrétaire l'eut
ouvert, il ne vit rien qu'un livre tout blanc : « Ah!
dit-il, je m'en étais bien douté.»

LE MONDE COMME IL VA

VISION DE BABOUC[1]

(1746)

I. Parmi les génies qui président aux empires du monde, Ituriel tient un des premiers rangs, et il a le département de la haute Asie. Il descendit un matin dans la demeure du Scythe Babouc, sur le rivage de l'Oxus, et lui dit : Babouc, les folies et les excès des Perses ont attiré notre colère : il s'est tenu hier une assemblée des génies de la haute Asie pour savoir si on châtierait Persépolis, ou si on la détruirait. Va dans cette ville, examine tout ; tu reviendras m'en rendre un compte fidèle, et je me déterminerai sur ton rapport à corriger la ville, ou à l'exterminer. — Mais, seigneur, dit humblement Babouc, je n'ai jamais été en Perse ; je n'y connais personne. — Tant mieux, dit l'ange, tu ne seras point partial ; tu as reçu du ciel le discernement, et j'y ajoute le don d'inspirer la confiance ; marche, regarde, écoute, observe, et ne crains rien ; tu seras partout bien reçu.

II. Babouc monta sur son chameau, et partit avec ses serviteurs. Au bout de quelques journées, il rencontra vers les plaines de Sennaar[2] l'armée persane, qui allait combattre l'armée indienne. Il s'adressa d'abord à un soldat qu'il trouva écarté. Il lui parla, et lui demanda quel était le sujet de la guerre. Par tous les

dieux, dit le soldat, je n'en sais rien ; ce n'est pas
mon affaire ; mon métier est de tuer et d'être tué pour
gagner ma vie ; il n'importe qui je serve. Je pourrais
bien même dès demain passer dans le camp des Indiens ; car on dit qu'ils donnent près d'une demi-
drachme de cuivre par jour à leurs soldats de plus
que nous n'en avons dans ce maudit service de Perse.
Si vous voulez savoir pourquoi on se bat, parlez à mon
capitaine.

Babouc ayant fait un petit présent au soldat entra
dans le camp. Il fit bientôt connaissance avec le capitaine, et lui demanda le sujet de la guerre. Comment
voulez-vous que je le sache ? dit le capitaine, et que
m'importe ce beau sujet ? J'habite à deux cents lieues
de Persépolis ; j'entends dire que la guerre est déclarée ; j'abandonne aussitôt ma famille, et je vais chercher, selon notre coutume, la fortune ou la mort,
attendu que je n'ai rien à faire. — Mais vos camarades,
dit Babouc, ne sont-ils pas un peu plus instruits que
vous ? — Non, dit l'officier ; il n'y a guère que nos principaux satrapes qui savent bien précisément pourquoi
on s'égorge.

Babouc étonné s'introduisit chez les généraux ; il
entra dans leur familiarité. L'un d'eux lui dit enfin :
La cause de cette guerre, qui désole depuis vingt ans
l'Asie, vient originairement d'une querelle entre un
eunuque d'une femme du grand roi de Perse, et un
commis d'un bureau du grand roi des Indes. Il s'agissait d'un droit qui revenait à peu près à la trentième
partie d'une darique[1]. Le premier ministre des Indes
et le nôtre soutinrent dignement les droits de leurs
maîtres. La querelle s'échauffa. On mit de part et

d'autre en campagne une armée d'un million de soldats. Il faut recruter cette armée tous les ans de
plus de quatre cent mille hommes. Les meurtres, les
incendies, les ruines, les dévastations se multiplient,
l'univers souffre, et l'acharnement continue. Notre 5
premier ministre et celui des Indes protestent souvent
qu'ils n'agissent que pour le bonheur du genre humain ;
et à chaque protestation il y a toujours quelques villes
détruites et quelques provinces ravagées.

Le lendemain, sur un bruit qui se répandit que la 10
paix allait être conclue, le général persan et le général
indien s'empressèrent de donner bataille ; elle fut sanglante. Babouc en vit toutes les fautes et toutes les
abominations ; il fut témoin des manœuvres des principaux satrapes, qui firent ce qu'ils purent pour faire 15
battre leur chef. Il vit des officiers tués par leurs
propres troupes ; il vit des soldats qui achevaient
d'égorger leurs camarades expirants, pour leur arracher quelques lambeaux sanglants, déchirés et couverts
de fange. Il entra dans les hôpitaux où l'on transpor- 20
tait les blessés, dont la plupart expiraient par la négli-
gence inhumaine de ceux mêmes que le roi de Perse
payait chèrement pour les secourir. Sont-ce là des
hommes, s'écria Babouc, ou des bêtes féroces ? Ah !
je vois bien que Persépolis sera détruite. 25

Occupé de cette pensée, il passa dans le camp des
Indiens : il y fut aussi bien reçu que dans celui des
Perses, selon ce qui lui avait été prédit ; mais il y vit
tous les mêmes excès qui l'avaient saisi d'horreur.
Oh ! oh ! dit-il en lui-même, si l'ange Ituriel veut 30
exterminer les Persans, il faut donc que l'ange des
Indes détruise aussi les Indiens. S'étant ensuite

informé plus en'détail de ce qui s'était passé dans l'une
et l'autre armée, il apprit des actions de générosité,
de grandeur d'âme, d'humanité, qui l'étonnèrent et le
ravirent.   Inexplicables humains, s'écria-t-il, comment
5 pouvez-vous réunir tant de bassesse et de grandeur,
tant de vertus et de crimes?

Cependant la paix fut déclarée. Les chefs des deux
armées, dont aucun n'avait remporté la victoire, mais
qui, pour leur seul intérêt, avaient fait verser le sang de
10 tant d'hommes, leurs semblables, allèrent briguer dans
leurs cours des récompenses. On célébra la paix dans des
écrits publics, qui n'annonçaient que le retour de la
vertu et de la félicité sur la terre. Dieu soit loué! dit
Babouc; Persépolis sera le séjour de l'innocence épu-
15 rée; elle ne sera point détruite, comme le voulaient ces
vilains génies: Courons sans tarder dans cette capitale
de l'Asie.

III. Il arriva dans cette ville immense par l'ancienne
entrée,[1] qui était toute barbare, et dont la rusticité
20 dégoûtante offensait les yeux. Toute cette partie de la
ville se ressentait du temps où elle avait été bâtie; car,
malgré l'opiniâtreté des hommes à louer l'antique aux
dépens du moderne, il faut avouer qu'en tout genre les
premiers essais sont toujours grossiers.
25 Babouc se mêla dans la foule d'un peuple composé
de ce qu'il y avait de plus sale et de plus laid dans les
deux sexes. Cette foule se précipitait d'un air hébété
dans un enclos vaste et sombre. Au bourdonnement
continuel, au mouvement qu'il remarqua, à l'argent que
30 quelques personnes donnaient à d'autres pour avoir
droit de s'asseoir, il crut être dans un marché où l'on

vendait des chaises de paille; mais bientôt, voyant que
plusieurs femmes se mettaient à genoux, en faisant
semblant de regarder fixement devant elles, et en
regardant les hommes de côté, il s'aperçut qu'il était
dans un temple. Des voix aigres, rauques, sauvages, 5
discordantes, faisaient retentir la voûte de sons mal
articulés, qui faisaient le même effet que les voix des
onagres quand elles répondent, dans les plaines des
Pictaves, au cornet à bouquin qui les appelle. Il se
bouchait les oreilles; mais il fut près de se boucher 10
encore les yeux et le nez, quand il vit entrer dans ce
temple des ouvriers avec des pinces et des pelles. Ils
remuèrent une large pierre, et jetèrent à droite et à
gauche une terre dont s'exhalait une odeur empestée;
ensuite on vint poser un mort dans cette ouverture, et 15
on remit la pierre par-dessus. Quoi! s'écria Babouc,
ces peuples enterrent leurs morts dans les mêmes lieux
où ils adorent la divinité! Quoi! leurs temples sont
pavés de cadavres! Je ne m'étonne plus de ces mala-
dies pestilentielles qui désolent souvent Persépolis. La 20
pourriture des morts, et celle de tant de vivants ras-
semblés et pressés dans le même lieu, est capable d'empoisonner le globe terrestre. Ah! la vilaine ville que
Persépolis! Apparemment que les anges veulent la
détruire pour en rebâtir une plus belle, et la peupler 25
d'habitants moins malpropres, et qui chantent mieux.
La Providence peut avoir ses raisons; laissons-la faire.

IV. Cependant le soleil approchait du haut de sa
carrière. Babouc devait aller dîner à l'autre bout de
la ville, chez une dame pour laquelle son mari, officier 30
de l'armée, lui avait donné des lettres. Il fit d'abord

plusieurs tours dans Persépolis; il vit d'autres temples
mieux bâtis et mieux ornés, remplis d'un peuple poli,
et retentissant d'une musique harmonieuse; il remarqua
des fontaines publiques, lesquelles, quoique mal placées,
5 frappaient les yeux par leur beauté; des places où semblaient respirer en bronze les meilleurs rois qui avaient
gouverné la Perse; d'autres places où il entendait le
peuple s'écrier: Quand verrons-nous ici le maître que
nous chérissons?   Il admira les ponts magnifiques
10 élevés sur le fleuve, les quais superbes et commodes,
les palais bâtis à droite et à gauche, une maison immense, où des milliers de vieux soldats blessés et vainqueurs rendaient chaque jour grâces au Dieu des
armées.   Il entra enfin chez la dame, qui l'attendait à
15 dîner avec une compagnie d'honnêtes gens.   La maison
était propre et ornée, le repas délicieux, la dame jeune,
belle, spirituelle, engageante, la compagnie digne d'elle;
et Babouc disait en lui-même à tout moment: L'ange
Ituriel se moque du monde de vouloir détruire une ville
20 si charmante.

V. Cependant il s'aperçut que la dame, qui avait
commencé par lui demander tendrement des nouvelles
de son mari, parlait plus tendrement encore sur la fin
du repas à un jeune mage.   Alors Babouc commença
25 à craindre que le génie Ituriel n'eût raison.   Le talent
qu'il avait d'attirer la confiance le mit dès le jour
même dans les secrets de la dame: elle lui confia son
goût pour le jeune mage, l'assura que dans toutes les
maisons de Persépolis il trouverait l'équivalent de ce
30 qu'il avait vu dans la sienne.   Babouc conclut qu'une
telle société ne pouvait subsister; que la jalousie, la

discorde, la vengeance, devaient désoler toutes les maisons ; que les larmes et le sang devaient couler tous les
jours ; que certainement les maris tueraient les galants
de leurs femmes ou en seraient tués ; et qu'enfin Ituriel
ferait fort bien de détruire tout d'un coup une ville 5
abandonnée à de continuels désordres.

VI. Il était plongé dans ces idées funestes, quand
il se présenta à la porte un homme grave, en manteau
noir, qui demanda humblement à parler au jeune magistrat. Celui-ci, sans se lever, sans le regarder, lui donna 10
fièrement, et d'un air distrait, quelques papiers et le
congédia. Babouc demanda quel était cet homme. La
maîtresse de la maison lui dit tout bas : C'est un des
meilleurs avocats de la ville ; il y a cinquante ans qu'il
étudie les lois. Monsieur, qui n'a que vingt-cinq ans, 15
et qui est satrape de loi[1] depuis deux jours, lui donne
à faire l'extrait d'un procès qu'il doit juger demain, et
qu'il n'a pas encore examiné. — Ce jeune étourdi fait
sagement, dit Babouc, de demander conseil à un vieillard ; mais pourquoi n'est-ce pas ce vieillard qui est 20
juge ? — Vous vous moquez, lui dit-on, jamais ceux qui
ont vieilli dans les emplois laborieux et subalternes ne
parviennent aux dignités. Ce jeune homme a une
grande charge, parce que son père est riche, et qu'ici
le droit de rendre la justice s'achète comme une mé- 25
tairie. O mœurs ! ô malheureuse ville ! s'écria Babouc ;
voilà le comble du désordre ; sans doute, ceux qui ont
ainsi acheté le droit de juger vendent leurs jugements :
je ne vois ici que des abîmes d'iniquité.

Comme il marquait ainsi sa douleur et sa surprise, 30
un jeune guerrier, qui était revenu ce jour même de

l'armée, lui dit : Pourquoi ne voulez-vous pas qu'on
achète les emplois de la robe ? J'ai bien acheté, moi, le
droit d'affronter la mort à la tête de deux mille hommes
que je commande ; il m'en a coûté quarante mille
5 dariques d'or cette année, pour coucher sur la terre
trente nuits de suite en habit rouge, et pour recevoir
ensuite deux bons coups de flèches dont je me sens
encore. Si je me ruine pour servir l'empereur persan
que je n'ai jamais vu, monsieur le satrape de robe peut
10 bien payer quelque chose pour avoir le plaisir de donner
audience à des plaideurs. Babouc indigné ne put s'empêcher de condamner dans son cœur un pays où l'on
mettait à l'encan les dignités de la paix et de la guerre ;
il conclut précipitamment que l'on y devait ignorer
15 absolument la guerre et les lois ; et que, quand même
Ituriel n'exterminerait pas ces peuples, ils périraient
par leur détestable administration.

Sa mauvaise opinion augmenta encore à l'arrivée
d'un gros homme, qui, ayant salué très familièrement
20 toute la compagnie, s'approcha du jeune officier, et
lui dit : Je ne peux vous prêter que cinquante mille
dariques d'or ; car, en vérité, les douanes de l'empire
ne m'en ont rapporté que trois cent mille cette année.
Babouc s'informa quel était cet homme qui se plaignait
25 de gagner si peu ; il apprit qu'il y avait dans Persépolis
quarante rois plébéiens qui tenaient à bail l'empire de
Perse, et qui en rendaient quelque chose au monarque.

VII. Après dîner il alla dans un des plus superbes
temples de la ville ; il s'assit au milieu d'une troupe de
30 femmes et d'hommes qui étaient venus là pour passer
le temps. Un mage parut dans une machine élevée,

qui parla longtemps du vice et de la vertu. Ce mage
divisa en plusieurs parties ce qui n'avait pas besoin
d'être divisé; il prouva méthodiquement tout ce qui
était clair; il enseigna tout ce qu'on savait. Il se pas-
sionna froidement, et sortit suant et hors d'haleine. 5
Toute l'assemblée alors se réveilla, et crut avoir assisté
à une instruction. Babouc dit: Voilà un homme qui
a fait de son mieux pour ennuyer deux ou trois cents
de ses concitoyens; mais son intention était bonne: il
n'y a pas là de quoi détruire Persépolis. 10

Au sortir de cette assemblée, on le mena voir une
fête publique qu'on donnait tous les jours de l'année;
c'était dans une espèce de basilique, au fond de laquelle
on voyait un palais. Les plus belles citoyennes de Persépolis, les plus considérables satrapes rangés avec 15
ordre formaient un spectacle si beau, que Babouc crut
d'abord que c'était là toute la fête. Deux ou trois personnes, qui paraissaient des rois et des reines, parurent
bientôt dans le vestibule de ce palais; leur langage était
très différent de celui du peuple; il était mesuré, har- 20
monieux et sublime. Personne ne dormait. On écou-
tait dans un profond silence, qui n'était interrompu que
par les témoignages de la sensibilité et de l'admiration
publique. Le devoir des rois, l'amour de la vertu, les
dangers des passions, étaient exprimés par des traits 25
si vifs et si touchants, que Babouc versa des larmes.
Il ne douta pas que ces héros et ces héroïnes, ces rois
et ces reines qu'il venait d'entendre, ne fussent les
prédicateurs de l'empire. Il se proposa même d'engager Ituriel à les venir entendre, bien sûr qu'un tel 30
spectacle le réconcilierait pour jamais avec la ville.

Dès que cette fête fut finie, il voulut voir la princi-

pale reine qui avait débité dans ce beau palais une
morale si noble et si pure ; il se fit introduire chez Sa
Majesté ; on le mena par un petit escalier, au second
étage, dans un appartement mal meublé, où il trouva
une femme mal vêtue, qui lui dit d'un air noble et
pathétique : Ce métier-ci ne me donne pas de quoi vivre.
Babouc lui donna cent dariques d'or, en disant : S'il n'y
avait que ce mal-là dans la ville, Ituriel aurait tort de
se tant fâcher.

VIII. De là il alla passer sa soirée chez des marchands de magnificences inutiles. Un homme intelligent, avec lequel il avait fait connaissance, l'y mena ;
il acheta ce qui lui plut, et on le lui vendit avec politesse beaucoup plus qu'il ne valait. Son ami, de retour
chez lui, lui fit voir combien on le trompait. Babouc
mit sur ses tablettes le nom du marchand, pour le faire
distinguer par Ituriel au jour de la punition de la ville.
Comme il écrivait, on frappa à sa porte ; c'était le marchand lui-même qui venait lui rapporter sa bourse, que
Babouc avait laissée par mégarde sur son comptoir.
Comment se peut-il, s'écria Babouc, que vous soyez si
fidèle et si généreux, après n'avoir pas eu honte
de me vendre des colifichets quatre fois au-dessus de
leur valeur ? — Il n'y a aucun négociant un peu connu
dans cette ville, lui répondit le marchand, qui ne fût
venu vous rapporter votre bourse ; mais on vous a
trompé quand on vous a dit que je vous avais vendu
ce que vous avez pris chez moi quatre fois plus qu'il
ne vaut, je vous l'ai vendu dix fois davantage ; et cela
est si vrai, que si dans un mois vous voulez le revendre,
vous n'en aurez pas même ce dixième. Mais rien n'est

plus juste; c'est la fantaisie des hommes qui met le
prix à ces choses frivoles; c'est cette fantaisie qui fait
vivre cent ouvriers que j'emploie; c'est elle qui me
donne une belle maison, un char commode, des chevaux; c'est elle qui excite l'industrie, qui entretient le 5
goût, la circulation et l'abondance.

Je vends aux nations voisines les mêmes bagatelles
plus chèrement qu'à vous, et par là je suis utile à l'empire. Babouc, après avoir un peu rêvé, le raya de ses
tablettes. 10

IX. Babouc, fort incertain sur ce qu'il devait penser
de Persépolis, résolut de voir les mages et les lettrés;
car les uns étudient la sagesse, et les autres la religion;
et il se flatta que ceux-là obtiendraient grâce pour le
reste du peuple. Dès le lendemain matin il se trans- 15
porta dans un collège de mages. L'archimandrite lui
avoua qu'il avait cent mille écus de rente pour avoir
fait vœu de pauvreté, et qu'il exerçait un empire assez
étendu en vertu de son vœu d'humilité; après quoi il
laissa Babouc entre les mains d'un petit frère qui lui fit 20
les honneurs.

Tandis que ce frère lui montrait les magnificences
de cette maison de pénitence, un bruit se répandit qu'il
était venu pour réformer toutes ces maisons. Aussitôt
il reçut des mémoires de chacune d'elles; et les mé- 25
moires disaient tous en substance: « Conservez-nous, et
détruisez toutes les autres.» A entendre leurs apolo-
gies, ces sociétés étaient toutes nécessaires; à entendre
leurs accusations réciproques, elles méritaient toutes
d'être anéanties. Il admirait comme il n'y avait aucune 30
d'elles qui, pour édifier l'univers, ne voulût en avoir

l'empire.   Alors il se présenta un petit homme qui
était un demi-mage,[1] et qui lui dit : Je vois bien que
l'œuvre va s'accomplir, car Zerdust est revenu sur la
terre ; les petites filles prophétisent, en se faisant don-
5 ner des coups de pincettes par devant et le fouet par
derrière.   Ainsi nous vous demandons votre protection
contre le grand-lama.   Comment ! dit Babouc, contre
ce pontife-roi qui réside au Thibet ? — Contre lui-même.
— Vous lui faites donc la guerre, et vous levez contre
10 lui des armées ? — Non ; mais il dit que l'homme est
libre, et nous n'en croyons rien ; nous écrivons contre
lui de petits livres qu'il ne lit pas : à peine a-t-il entendu
parler de nous ; il nous a seulement fait condamner,
comme un maître ordonne qu'on échenille les arbres de
15 ses jardins.   Babouc frémit de la folie de ces hommes
qui faisaient profession de sagesse, des intrigues de
ceux qui avaient renoncé au monde, de l'ambition et de
la convoitise orgueilleuse de ceux qui enseignaient l'humilité et le désintéressement ; il conclut qu'Ituriel avait
20 de bonnes raisons pour détruire toute cette engeance.

X.   Retiré chez lui, il envoya chercher des livres nouveaux pour adoucir son chagrin, et il pria quelques
lettrés à dîner pour se réjouir.   Il en vint deux fois
plus qu'il n'en avait demandé comme les guêpes que le
25 miel attire.   Ces parasites se pressaient de manger et
de parler ; ils louaient deux sortes de personnes, les
morts et eux-mêmes, et jamais leurs contemporains,
excepté le maître de la maison.   Si quelqu'un d'eux
disait un bon mot, les autres baissaient les yeux et se
30 mordaient les lèvres de douleur de ne l'avoir pas dit.
Ils avaient moins de dissimulation que les mages, parce

qu'ils n'avaient pas de si grands objets d'ambition. Chacun d'eux briguait une place de valet et une réputation de grand homme; ils se disaient en face des choses insultantes, qu'ils croyaient des traits d'esprit. Ils avaient eu quelque connaissance de la mission de Babouc. L'un d'eux le pria tout bas d'exterminer un auteur qui ne l'avait pas assez loué il y avait cinq ans; un autre demanda la perte d'un citoyen qui n'avait jamais ri à ses comédies; un troisième demanda l'extinction de l'Academie, parce qu'il n'avait jamais pu parvenir à y être admis. Le repas fini, chacun d'eux s'en alla seul, car il n'y avait pas dans toute la troupe deux hommes qui pussent se souffrir, ni même se parler ailleurs que chez les riches qui les invitaient à leur table. Babouc jugea qu'il n'y aurait pas grand mal quand cette vermine périrait dans la destruction générale.

XI. Dès qu'il se fut défait d'eux, il se mit à lire quelques livres nouveaux. Il y reconnut l'esprit de ses convives. Il vit surtout avec indignation ces gazettes de la médisance, ces archives du mauvais goût, que l'envie, la bassesse et la faim ont dictées; ces lâches satires où l'on ménage le vautour et où l'on déchire la colombe; ces romans dénués d'imagination, où l'on voit tant de portraits de femmes que l'auteur ne connaît pas.

Il jeta au feu tous ces détestables écrits, et sortit pour aller le soir à la promenade. On le présenta à un vieux lettré qui n'était point venu grossir le nombre de ses parasites. Ce lettré fuyait toujours la foule, connaissait les hommes, en faisait usage, et se communiquait avec

discrétion.   Babouc lui parla avec douleur de ce qu'il
avait lu et de ce qu'il avait vu.

Vous avez lu des choses bien méprisables, lui dit le
sage lettré; mais dans tous les temps, dans tous les pays,
5 et dans tous les genres, le mauvais fourmille et le bon
est rare.   Vous avez reçu chez vous le rebut de la pédanterie, parce que, dans toutes les professions, ce qu'il
y a de plus indigne de paraître est toujours ce qui
se présente avec le plus d'impudence.   Les véritables
10 sages vivent entre eux, retirés et tranquilles; il y a encore parmi nous des hommes et des livres dignes de
votre attention.   Dans le temps qu'il parlait ainsi, un
autre lettré les joignit; leurs discours furent si agréables
et si instructifs, si élevés au-dessus des préjugés et si
15 conformes à la vertu, que Babouc avoua n'avoir jamais
rien entendu de pareil.   Voilà des hommes, disait-il tout
bas, à qui l'ange Ituriel n'osera toucher, ou il sera bien
impitoyable.

Raccommodé avec les lettrés, il était toujours en co-
20 lère contre le reste de la nation.   Vous êtes étranger,
lui dit l'homme judicieux qui lui parlait; les abus se
présentent à vos yeux en foule; et le bien qui est caché,
et qui résulte quelquefois de ces abus mêmes, vous
échappe.   Alors il apprit que parmi les lettrés il y en
25 avait quelques-uns qui n'étaient pas envieux, et que
parmi les mages même il y en avait de vertueux.   Il
conçut à la fin que ces grands corps, qui semblaient en
se choquant préparer leurs communes ruines, étaient au
fond des institutions salutaires; que chaque société de
30 mages était un frein à ses rivales; que si ces émules
différaient dans quelques opinions, ils enseignaient
tous la même morale, qu'ils instruisaient le peuple, et

qu'ils vivaient soumis aux lois, semblables aux précep-
teurs qui veillent sur le fils de la maison, tandis que le
maître veille sur eux-mêmes. Il en pratiqua plusieurs,
et vit des âmes célestes. Il apprit même que parmi les
fous qui prétendaient faire la guerre au grand-lama, il 5
y avait eu de très grands hommes. Il soupçonna enfin
qu'il pourrait bien en être des mœurs de Persépolis
comme des édifices, dont les uns lui avaient paru
dignes de pitié, et les autres l'avaient ravi d'admiration.

XII. Il dit à son lettré : Je conçois très bien que ces 10
mages, que j'avais crus si dangereux, sont en effet très
utiles, surtout quand un gouvernement sage les empêche
de se rendre trop nécessaires ; mais vous m'avouerez au
moins que vos jeunes magistrats, qui achètent une
charge de juge dès qu'ils ont appris à monter à cheval, 15
doivent étaler dans les tribunaux tout ce que l'imper-
tinence a de plus ridicule, et tout ce que l'iniquité a de
plus pervers ; il vaudrait mieux sans doute donner ces
places gratuitement à ces vieux jurisconsultes qui ont
passé toute leur vie à peser le pour et le contre. 20
Le lettré lui répliqua : Vous avez vu notre armée
avant d'arriver à Persépolis ; vous savez que nos jeunes
officiers se battent très bien, quoiqu'ils aient acheté
leurs charges : peut-être verrez-vous que nos jeunes
magistrats ne jugent pas mal, quoiqu'ils aient payé 25
pour juger.
Il le mena le lendemain au grand tribunal, où l'on
devait rendre un arrêt important. La cause était con-
nue de tout le monde. Tous ces vieux avocats qui en
parlaient étaient flottants dans leurs opinions : ils allé- 30
guaient cent lois, dont aucune n'était applicable au fond

de la question; ils regardaient l'affaire par cent côtés,
dont aucun n'était dans son vrai jour: les juges déci-
dèrent plus vite que les avocats ne doutèrent. Leur
jugement fut presque unanime; ils jugèrent bien, parce
qu'ils suivaient les lumières de la raison; et les autres
avaient opiné mal, parce qu'ils n'avaient consulté que
leurs livres.

XIII. Babouc conclut qu'il y avait souvent de très
bonnes choses dans les abus. Il vit dès le jour même
que les richesses des financiers, qui l'avaient tant révol-
té, pouvaient produire un effet excellent, car l'empereur
ayant eu besoin d'argent, il trouva en une heure, par
leur moyen, ce qu'il n'aurait pas eu en six mois par les
voies ordinaires; il vit que ces gros nuages, enflés de la
rosée de la terre, lui rendaient en pluie ce qu'ils en rece-
vaient. D'ailleurs les enfants de ces hommes nouveaux
souvent mieux élevés que ceux des familles plus anciennes, valaient quelquefois beaucoup mieux; car rien
n'empêche qu'on ne soit un bon juge, un brave guerrier,
un homme d'État habile, quand on a eu un père bon
calculateur.

XIV. Insensiblement Babouc faisait grâce à l'avidité
du financier, qui n'est pas au fond plus avide que les
autres hommes, et qui est nécessaire. Il excusait la folie
de se ruiner pour juger et pour se battre, folie qui produit des grands magistrats et des héros. Il pardonnait
à l'envie des lettrés, parmi lesquels il se trouvait des
hommes qui éclairaient le monde; il se réconciliait avec
les mages ambitieux et intrigants, chez lesquels il y
avait plus de grandes vertus encore que de petits vices;

mais il lui restait bien des griefs, et surtout les galante-
ries des dames; et les désolations qui en devaient être la
suite le remplissaient d'inquiétude et d'effroi.

Comme il voulait pénétrer dans toutes les conditions
humaines, il se fit mener chez un ministre; mais il trem-   5
blait toujours en chemin que quelque femme ne fût
assassinée en sa présence par son mari.   Arrivé chez
l'homme d'État, il resta deux heures dans l'antichambre
sans être annoncé, et deux heures encore après l'avoir
été.   Il se promettait bien dans cet intervalle de recom-   10
mander à l'ange Ituriel et le ministre et ses insolents
huissiers.   L'antichambre était remplie de dames de tout
étage, de mages de toutes couleurs, de juges, de marchands, d'officiers, de pédants; tous se plaignaient du
ministre.   L'avare et l'usurier disaient: Sans doute cet   15
homme-là pille les provinces; le capricieux lui reprochait
d'être bizarre; le voluptueux disait: Il ne songe qu'à
ses plaisirs; l'intrigant se flattait de le voir bientôt perdu
par une cabale; les femmes espéraient qu'on leur don-
nerait bientôt un ministre plus jeune.   20

Babouc entendait leurs discours; il ne put s'empêcher
de dire: Voilà un homme bien heureux, il a tous ses
ennemis dans son antichambre; il écrase de son pouvoir
ceux qui l'envient; il voit à ses pieds ceux qui le détes-
tent.   Il entra enfin; il vit un petit vieillard[1] courbé   25
sous le poids des années et des affaires, mais encore vif
et plein d'esprit.

Babouc lui plut, et il parut à Babouc un homme estimable.   La conversation devint intéressante.   Le ministre lui avoua qu'il était un homme très malheureux,   30
qu'il passait pour riche, et qu'il était pauvre; qu'on le
croyait tout puissant, et qu'il était toujours contredit;

qu'il n'avait guère obligé que des ingrats, et que dans
un travail continuel de quarante années il avait eu à
peine un moment de consolation. Babouc en fut touché, et pensa que, si cet homme avait fait des fautes,
5 et si l'ange Ituriel voulait le punir, il ne fallait pas
l'exterminer, mais seulement lui laisser sa place.

XV.   Tandis qu'il parlait au ministre entre brusquement la belle dame chez qui Babouc avait dîné; on
voyait dans ses yeux et sur son front les symptômes de la
10 douleur et de la colère.   Elle éclata en reproches contre
l'homme d'État; elle versa des larmes; elle se plaignit
avec amertume de ce qu'on avait refusé à son mari une
place où sa naissance lui permettait d'aspirer, et que ses
services et ses blessures méritaient; elle s'exprima avec
15 tant de force, elle mit tant de grâces dans ses plaintes,
elle détruisit les objections avec tant d'adresse, elle fit
valoir les raisons avec tant d'éloquence, qu'elle ne sortit
point de la chambre sans avoir fait la fortune de son
mari.

20   Babouc lui donna la main: Est-il possible, madame,
lui dit-il, que vous vous soyez donné toute cette peine
pour un homme que vous n'aimez point, et dont vous
avez tout à craindre? — Un homme que je n'aime point!
s'écria-t-elle: sachez que mon mari est le meilleur ami
25 que j'aie au monde, qu'il n'y a rien que je ne lui sacrifie,
hors mon amant; et qu'il ferait tout pour moi, hors de
quitter sa maîtresse. Je veux vous la faire connaître;
c'est une femme charmante, pleine d'esprit, et du meilleur caractère du monde; nous soupons ensemble ce soir
30 avec mon mari et mon petit mage; venez partager notre
joie.

La dame mena Babouc chez elle. Le mari, qui était
enfin arrivé plongé dans la douleur, revit sa femme avec
des transports d'allégresse et de reconnaissance : il embrassait tour à tour sa femme, sa maîtresse, le petit mage
et Babouc. L'union, la gaieté, l'esprit et les grâces,   5
furent l'âme de ce repas. Apprenez, lui dit la belle dame
chez laquelle il soupait, que celles qu'on appelle quelquefois de malhonnêtes femmes ont presque toujours le
mérite d'un très honnête homme, et pour vous en convaincre, venez demain dîner avec moi chez la belle   10
Téone.[1] Il y a quelques vieilles vestales qui la déchirent !
mais elle fait plus de bien qu'elles toutes ensemble.
Elle ne commettrait pas une légère injustice pour le
plus grand intérêt ; elle ne donne à son amant que des
conseils généreux ; elle n'est occupée que de sa gloire : 15
il rougirait devant elle, s'il avait laissé échapper une
occasion de faire du bien ; car rien n'encourage plus aux
actions vertueuses que d'avoir pour témoin et pour juge
de sa conduite une maîtresse dont on veut mériter
l'estime.   20

XVI. Babouc ne manqua pas au rendez-vous. Il vit
une maison où régnait tous les plaisirs. Téone régnait
sur eux ; elle savait parler à chacun son langage. Son
esprit naturel mettait à son aise celui des autres ; elle
plaisait sans presque le vouloir ; elle était aussi aimable 25
que bienfaisante ; et, ce qui augmentait le prix de toutes
ses bonnes qualités, elle était belle.

Babouc, tout Scythe et tout envoyé qu'il était d'un
génie, s'aperçut que, s'il restait encore à Persépolis, il
oublierait Ituriel pour Téone. Il s'affectionnait à la   30
ville, dont le peuple était poli, doux et bienfaisant, quoi-

que léger, médisant, et plein de vanité. Il craignait que Persépolis ne fût condamné; il craignait même le compte qu'il allait rendre.

XVII. Voici comme il s'y prit pour rendre ce compte. Il fit faire par le meilleur fondeur de la ville une petite statue composée de tous les métaux, des terres et des pierres les plus précieuses et les plus viles; il la porta à Ituriel: Casserez-vous, dit-il, cette jolie statue, parce que tout n'y est pas or et diamants? Ituriel entendit à demi-mot; il résolut de ne pas même songer à corriger Persépolis, et de laisser aller *le monde comme il va;* car, dit-il, *si tout n'est pas bien, tout est passable.* On laissa donc subsister Persépolis, et Babouc fut bien loin de se plaindre, comme Jonas, qui se fâcha de ce qu'on ne détruisait pas Ninive. Mais, quand on a été trois jours dans le corps d'une baleine, on n'est pas de si bonne humeur que quand on a été à l'opéra, à la comédie, et qu'on a soupé en bonne compagnie.

JEANNOT ET COLIN [1]

(1764)

PLUSIEURS personnes dignes de foi ont vu Jeannot
et Colin à l'école dans la ville d'Issoire, en Auvergne,
ville fameuse dans tout l'univers par son collège et par
ses chaudrons. Jeannot était fils d'un marchand de
mulets très renommé; Colin devait le jour à un brave
laboureur des environs, qui cultivait la terre avec quatre
mulets, et qui, après avoir payé la taille, le taillon, les
aides et gabelles, le sou pour livre, la capitation, et les
vingtièmes,[2] ne se trouvait pas puissamment riche au
bout de l'année.

Jeannot et Colin étaient fort jolis pour des Auver-
gnats; ils s'aimaient beaucoup; et ils avaient ensemble
de petites familiarités, dont on se ressouvient toujours avec agrément quand on se rencontre ensuite dans
le monde.

Le temps de leurs études était sur le point de finir,
quand un tailleur apporta à Jeannot un habit de velours
à trois couleurs, avec une veste de Lyon de fort bon
goût; le tout était accompagné d'une lettre à M. de
la Jeannotière. Colin admira l'habit, et ne fut point
jaloux; mais Jeannot prit un air de supériorité qui
affligea Colin. Dès ce moment Jeannot n'étudia plus,
se regarda au miroir, et méprisa tout le monde. Quelque temps après un valet de chambre arrive en poste, et

apporte une seconde lettre à monsieur le marquis de la
Jeannotière; c'était un ordre de monsieur son père de
faire venir monsieur son fils à Paris. Jeannot monta
en chaise en tendant la main à Colin avec un sourire
5 de protection assez noble. Colin sentit son néant, et
pleura. Jeannot partit dans toute la pompe de sa gloire.

Les lecteurs qui aiment à s'instruire doivent savoir
que M. Jeannot le père avait acquis assez rapidement
des biens immenses dans les affaires. Vous demandez
10 comment on fait ces grandes fortunes? C'est parce
qu'on est heureux. M. Jeannot était bien fait, sa femme
aussi, et elle avait encore de la fraîcheur. Ils allèrent
à Paris pour un procès qui les ruinait, lorsque la fortune, qui élève et qui abaisse les hommes à son gré,
15 les présenta à la femme d'un entrepreneur des hôpitaux des armées, homme d'un grand talent, et qui pouvait se vanter d'avoir tué plus de soldats en un an que
le canon n'en fait périr en dix. Jeannot plut à madame;
la femme de Jeannot plut à monsieur. Jeannot fut
20 bientôt de part dans l'entreprise; il entra dans d'autres
affaires. Dès qu'on est dans le fil de l'eau, il n'y a qu'à
se laisser aller; on fait sans peine une fortune immense.
Les gredins, qui du rivage vous regardent voguer à
pleines voiles, ouvrent des yeux étonnés; ils ne savent
25 comment vous avez pu parvenir; ils vous envient au
hasard, et font contre vous des brochures que vous ne
lisez point. C'est ce qui arriva à Jeannot le père, qui
fut bientôt M. de la Jeannotière, et qui, ayant acheté
un marquisat au bout de six mois, retira de l'école mon-
30 sieur le marquis son fils, pour le mettre à Paris dans
le beau monde.

Colin, toujours tendre, écrivit une lettre de compli-

ments à son ancien camarade, et lui fit ces lignes pour
le congratuler. Le petit marquis ne lui fit point de
réponse : Colin en fut malade de douleur.

Le père et la mère donnèrent d'abord un gouverneur
au jeune marquis : ce gouverneur, qui était un homme   5
du bel air,[1] et qui ne savait rien, ne put rien enseigner
à son pupille. Monsieur voulait que son fils apprît le
latin, madame ne le voulait pas. Ils prirent pour arbitre
un auteur qui était célèbre alors par des ouvrages
agréables. Il fut prié à dîner. Le maître de la maison   10
commença par lui dire : Monsieur, comme vous con-
naissez le latin, et que vous êtes un homme de la
cour ... Moi, monsieur, du latin ! je n'en sais pas un
mot, répondit le bel esprit, et bien m'en a pris : il est
clair qu'on parle beaucoup mieux sa langue quand on ne 15
partage pas son application entre elle et les langues
étrangères. Voyez toutes nos dames, elles ont l'esprit
plus agréable que les hommes ; leurs lettres sont écrites
avec cent fois plus de grâce ; elles n'ont sur nous cette
supériorité que parce qu'elles ne savent pas le latin.   20

— Eh bien ! n'avais-je pas raison ? dit madame. Je
veux que mon fils soit un homme d'esprit, qu'il réus-
sisse dans le monde ; et vous voyez bien que, s'il savait
le latin, il serait perdu. Joue-t-on, s'il vous plaît, la
comédie et l'opéra en latin ? plaide-t-on en latin, quand 25
on a un procès ? fait-on l'amour en latin ? Monsieur,
ébloui de ces raisons, passa condamnation, et il fut
conclu que le jeune marquis ne perdrait point son temps
à connaître Cicéron, Horace, et Virgile. Mais qu'ap-
prendra-t-il donc ? car encore il faut qu'il sache quelque 30
chose ; ne pourrait-on pas lui montrer un peu de géographie ? A quoi cela lui servira-t-il ? répondit le gou-

verneur.   Quand monsieur le marquis ira dans ses
terres, les postillons ne sauront-ils pas les chemins? ils
ne l'égareront certainement pas.   On n'a pas besoin
d'un quart de cercle pour voyager, et on va très com-
5 modément de Paris en Auvergne, sans qu'il soit besoin
de savoir sous quelle latitude on se trouve.

    — Vous avez raison, répliqua le père; mais j'ai enten-
du parler d'une belle science qu'on appelle, je crois, *l'astronomie.* — Quelle pitié, repartit le gouverneur; se
10 conduit-on par les astres dans ce monde? et faudra-t-il
que monsieur le marquis se tue à calculer une éclipse,
quand il la trouve à point nommé dans l'almanach,
qui lui enseigne de plus les fêtes mobiles,[1] l'âge de la
lune, et celui de toutes les princesses de l'Europe.

15 Madame fut entièrement de l'avis du gouverneur.
Le petit marquis était au comble de la joie; le père
était indécis.   Que faudra-t-il donc apprendre à mon
fils? disait-il. — A être aimable, répondit l'ami que l'on
consultait; et s'il sait les moyens de plaire, il saura
20 tout: c'est un art qu'il apprendra chez madame sa
mère, sans que ni l'un ni l'autre se donnent la moindre
peine.

    Madame, à ce discours, embrassa le gracieux igno-
rant, et lui dit: On voit bien, monsieur, que vous êtes
25 l'homme du monde le plus savant; mon fils vous devra
toute son éducation: je m'imagine pourtant qu'il ne
serait pas mal qu'il sût un peu d'histoire. — Hélas!
madame, à quoi cela est-il bon? répondit-il; il n'y a
certainement d'agréable et d'utile que l'histoire du jour.
30 Toutes les histoires anciennes, comme le disait un de
nos beaux esprits,[2] ne sont que des fables convenues;
et pour les modernes, c'est un chaos qu'on ne peut

débrouiller. Qu'importe à monsieur votre fils que Charlemagne ait institué les douze pairs de France, et que son successeur ait été bègue?[1]

Rien n'est mieux dit, s'écria le gouverneur: on étouffe l'esprit des enfants sous un amas de connais- 5 sances inutiles; mais de toutes les sciences la plus absurde, à mon avis, et celle qui est la plus capable d'étouffer toute espèce de génie, c'est la géométrie. Cette science ridicule a pour objet des surfaces, des lignes, et des points, qui n'existent pas dans la nature. 10 On fait passer en esprit cent mille lignes courbes entre un cercle et une ligne droite qui le touche, quoique dans la réalité on n'y puisse pas passer un fétu. La géométrie, en vérité, n'est qu'une mauvaise plaisanterie. 15

Monsieur et madame n'entendaient pas trop ce que le gouverneur voulait dire; mais ils furent entièrement de son avis.

Un seigneur comme monsieur le marquis, continuat-il, ne doit pas se dessécher le cerveau dans ces vaines 20 études. Si un jour il a besoin d'un géomètre sublime, pour lever le plan de ses terres, il les fera arpenter pour son argent. S'il veut débrouiller l'antiquité de sa noblesse, qui remonte aux temps les plus reculés, il enverra chercher un bénédictin. Il en est de même 25 de tous les arts. Un jeune seigneur heureusement né n'est ni peintre, ni musicien, ni architecte, ni sculpteur; mais il fait fleurir tous ces arts en les encourageant par sa magnificence. Il vaut sans doute mieux les protéger que de les exercer; il suffit que monsieur le marquis ait 30 du goût; c'est aux artistes à travailler pour lui; et c'est en quoi on a très grande raison de dire que les gens

de qualité (j'entends ceux qui sont très riches) savent
tout sans avoir rien appris, parce qu'en effet ils savent à
la longue juger de toutes les choses qu'ils commandent
et qu'ils payent.

5   L'aimable ignorant prit alors la parole, et dit: Vous
avez très bien remarqué, madame, que la grande fin
de l'homme est de réussir dans la société. De bonne
foi, est-ce par les sciences qu'on obtient ce succès?
S'est-on jamais avisé dans la bonne compagnie de par-
10 ler de géométrie? Demande-t-on jamais à un honnête
homme quel astre se lève aujourd'hui avec le soleil?
S'informe-t-on à souper si Clodion le Chevelu[1] passa
le Rhin? — Non, sans doute, s'écria la marquise de la
Jeannotière, que ses charmes avaient initiée quelque-
15 fois dans le beau monde, et monsieur mon fils ne doit
point éteindre son génie par l'étude de tous ces fatras;
mais enfin que lui apprendra-t-on? car il est bon qu'un
jeune seigneur puisse briller dans l'occasion, comme dit
monsieur mon mari. Je me souviens d'avoir ouï dire
20 à un abbé que la plus agréable des sciences était une
chose dont j'ai oublié le nom, mais qui commence par
un *B*. — Par un *B*, madame, ne serait-ce point la botanique? — Non, ce n'était point de botanique qu'il me
parlait; elle commençait, vous dis-je, par un *B,* et finis-
25 sait par un *on*. — Ah! j'entends, madame, c'est le blason: c'est, à la vérité, une science fort profonde, mais
elle n'est plus à la mode depuis qu'on a perdu l'habitude
de faire peindre ses armes aux portières de son carrosse; c'était la chose du monde la plus utile dans un
30 état bien policé. D'ailleurs cette étude serait infinie;
il n'y a point aujourd'hui de barbier qui n'ait ses armoiries; et vous savez que tout ce qui devient commun

est peu fêté. Enfin, après avoir examiné le fort et le faible des sciences, il fut décidé que monsieur le marquis apprendrait à danser.

La nature, qui fait tout, lui avait donné un talent qui se développa bientôt avec un succès prodigieux, c'était 5 de chanter agréablement des vaudevilles.[1] Les grâces de la jeunesse, jointes à ce don supérieur, le firent regarder comme le jeune homme de la plus grande espérance. Il fut aimé des femmes; et ayant la tête toute pleine de chansons, il en fit pour ses maîtresses. 10 Il pillait *Bacchus et l'Amour* dans un vaudeville, *la nuit et le jour* dans un autre, *les charmes et les alarmes* dans un troisième; mais, comme il y avait toujours dans ses vers quelques pieds de plus ou de moins qu'il ne fallait, il les faisait corriger moyennant vingt louis 15 d'or par chanson; et il fut mis dans *l'Année littéraire*[2] au rang des La Fare, des Chaulieu, des Hamilton, des Sarrasin, des Voiture.[3]

Madame la Marquise crut alors être la mère d'un bel esprit et donna à souper aux beaux esprits de 20 Paris. La tête du jeune homme fut bientôt renversée; il acquit l'art de parler sans s'entendre, et se perfectionna dans l'habitude de n'être propre à rien. Quand son père le vit éloquent, il regretta vivement de ne lui avoir pas fait apprendre le latin, car il lui aurait acheté 25 une grande charge dans la robe. La mère, qui avait des sentiments plus nobles, se chargea de solliciter un régiment pour son fils; et en attendant il dépensa beaucoup, pendant que ses parents s'épuisaient encore davantage à vivre en grands seigneurs. 30

Une jeune veuve de qualité, leur voisine, qui n'avait qu'une fortune médiocre, voulut bien se résoudre à

mettre en sûreté les grands biens de monsieur et madame de la Jeannotière, en se les appropriant, et en
épousant le jeune marquis.   Elle l'attira chez elle, se
laissa aimer, lui fit entrevoir qu'il ne lui était pas
5 indifférent, le conduisit par degrés, l'enchanta, le subjugua sans peine.   Elle lui donnait tantôt des éloges,
tantôt des conseils ; elle devint la meilleure amie du
père et de la mère.   Une vieille voisine proposa le
mariage ; les parents, éblouis de la splendeur de cette
10 alliance, acceptèrent avec joie la proposition : ils donnèrent leur fils unique à leur amie intime.   Le jeune
marquis allait épouser une femme qu'il adorait et dont
il était aimé ; les amis de la maison le félicitaient ; on
allait rédiger les articles, en travaillant aux habits de
15 noce et à l'épithalame.

   Il était un matin aux genoux[1] de la charmante épouse
que l'amour, l'estime et l'amitié allaient lui donner ; ils
goûtaient, dans une conversation tendre et animée, les
prémices de leur bonheur ; ils s'arrangeaient pour mener
20 une vie délicieuse, lorsqu'un valet de chambre de madame la mère arrive tout effaré.   Voici bien d'autres
nouvelles, dit-il ; des huissiers déménagent la maison
de monsieur et de madame ; tout est saisi par des
créanciers ; on parle de prise de corps, et je vais faire
25 mes diligences pour être payé de mes gages. — Voyons
un peu, dit le marquis, ce que c'est que ça, ce que
c'est que cette aventure-là. — Oui, dit la veuve, allez
punir ces coquins - là, allez vite.   Il y court, il arrive à la maison ; son père était déjà emprisonné :
30 tous les domestiques avaient fui chacun de leur côté,
en emportant tout ce qu'ils avaient pu.   Sa mère était
seule, sans secours, sans consolation, noyée dans les

larmes; il ne lui restait rien que le souvenir de sa
fortune, de sa beauté, de ses fautes, et de ses folles
dépenses.

Après que le fils eut longtemps pleuré avec la mère,
il lui dit enfin: Ne nous désespérons pas; cette jeune
veuve m'aime éperdument; elle est plus généreuse
encore que riche, je réponds d'elle; je vole à elle, et
je vais vous l'amener. Il retourne donc chez sa maîtresse, il la trouve tête à tête avec un jeune officier fort
aimable. Quoi! c'est vous, M. de la Jeannotière; que
venez-vous faire ici? abandonne-t-on ainsi sa mère?
Allez chez cette pauvre femme, et dites-lui que je lui
veux toujours du bien: j'ai besoin d'une femme de
chambre, et je lui donnerai la préférence. — Mon garçon, tu me parais assez bien tourné, lui dit l'officier; si
tu veux entrer dans ma compagnie, je te donnerai un
bon engagement.

Le marquis stupéfait, la rage dans le cœur, alla chercher son ancien gouverneur, déposa ses douleurs dans
son sein, et lui demanda des conseils. Celui-ci lui proposa de se faire, comme lui, gouverneur d'enfants.
Hélas! je ne sais rien, vous ne m'avez rien appris, et
vous êtes la première cause de mon malheur; et il san-
glotait en lui parlant ainsi. Faites des romans, lui dit
un bel esprit qui était là; c'est une excellente ressource
à Paris.

Le jeune homme, plus désespéré que jamais, courut
chez le confesseur de sa mère; c'était un théatin[1] très
accrédité, qui ne dirigeait que les femmes de la première considération; dès qu'il le vit, il se précipita
vers lui. Eh! mon Dieu! monsieur le marquis, où
est votre carrosse? comment se porte la respectable

madame la marquise votre mère? Le pauvre malheureux lui conta le désastre de sa famille. A mesure qu'il s'expliquait, le théatin prenait une mine
plus grave, plus indifférente, plus imposante: Mon
5 fils, voilà où Dieu vous voulait; les richesses ne
servent qu'à corrompre le cœur; Dieu a donc fait la
grâce à votre mère de la réduire à la mendicité?
— Oui, monsieur. — Tant mieux, elle est sûre de son
salut. — Mais, mon père, en attendant, n'y aurait-il
10 pas moyen d'obtenir quelques secours dans ce monde?
— Adieu, mon fils; il y a une dame de la cour qui
m'attend.

Le marquis fut prêt à s'évanouir; il fut traité à peu
près de même par tous ses amis, et apprit mieux à con-
15 naître le monde dans une demi-journée que dans tout
le reste de sa vie.

Comme il était plongé dans l'accablement du désespoir, il vit avancer une chaise roulante, à l'antique, espèce de tombereau couvert, accompagné de rideaux de
20 cuir, suivi de quatre charrettes énormes toutes chargées.
Il y avait dans la chaise un jeune homme grossièrement
vêtu; c'était un visage rond et frais qui respirait la douceur et la gaieté. Sa petite femme brune, et assez grossièrement agréable, était cahotée à côté de lui. La voi-
25 ture n'allait pas comme le char d'un petit-maître: le
voyageur eut tout le temps de contempler le marquis immobile, abîmé dans sa douleur. Eh! mon Dieu! s'écria-
t-il, je crois que c'est là Jeannot. A ce nom le marquis
lève les yeux, la voiture s'arrête: C'est Jeannot lui-
30 même, c'est Jeannot. Le petit homme rebondi ne fait
qu'un saut, et court embrasser son ancien camarade.
Jeannot reconnut Colin; la honte et les pleurs couvrirent

son visage. Tu m'as abandonné, dit Colin; mais tu as beau être grand seigneur, je t'aimerai toujours. Jeannot, confus et attendri, lui conta, en sanglotant, une partie de son histoire. Viens dans l'hôtellerie où je loge me conter le reste, lui dit Colin; embrasse ma petite femme, et allons dîner ensemble.

Il vont tous les trois à pied, suivis du bagage. Qu'est-ce donc que tout cet attirail? vous appartient-il? — Oui, tout est à moi et à ma femme. Nous arrivons du pays; je suis à la tête d'une bonne manufacture de fer étamé et de cuivre. J'ai épousé la fille d'un riche négociant en ustensiles nécessaires aux grands et aux petits; nous travaillons beaucoup; Dieu nous bénit; nous n'avons point changé d'état, nous sommes heureux, nous aiderons notre ami Jeannot. Ne sois plus marquis; toutes les grandeurs de ce monde ne valent pas un bon ami. Tu reviendras avec moi au pays, je t'apprendrai le métier, il n'est pas bien difficile; je te mettrai de part, et nous vivrons gaiement dans le coin de terre où nous sommes nés.

Jeannot éperdu se sentait partagé entre la douleur et la joie, la tendresse et la honte; et il se disait tout bas: Tous mes amis du bel air m'ont trahi, et Colin, que j'ai méprisé, vient seul à mon secours. Quelle instruction! La bonté d'âme de Colin développa dans le cœur de Jeannot le germe du bon naturel, que le monde n'avait pas encore étouffé. Il sentit qu'il ne pouvait abandonner son père et sa mère. Nous aurons soin de ta mère, dit Colin; et quant à ton bon père, qui est en prison, j'entends un peu les affaires; ses créanciers, voyant qu'il n'a plus rien, s'accommoderont pour peu de chose; je me charge de tout. Colin fit tant qu'il tira le père de prison. Jeannot retourna dans sa patrie avec ses parents, qui reprirent leur première profession. Il épousa une sœur de Colin, laquelle, étant de même humeur que le frère, le rendit très heureux. Et Jeannot le père, et Jeannotte la mère, et Jeannot le fils, virent que le bonheur n'est pas dans la vanité.

HISTOIRE D'UN BON BRAMIN[1]

(1759)

JE rencontrai dans mes voyages un vieux bramin,
homme fort sage, plein d'esprit, et très savant ; de plus
il était riche, et partant il en était plus sage encore ; car,
ne manquant de rien, il n'avait besoin de tromper personne. Sa famille était très bien gouvernée par trois 5
belles femmes qui s'étudiaient à lui plaire ; et quand il
ne s'amusait pas avec ses femmes, il s'occupait à philosopher.

Près de sa maison, qui était belle, ornée, et accompagnée de jardins charmants, demeurait une vieille 10
Indienne, bigote, imbécile, et assez pauvre.

Le bramin me dit un jour : Je voudrais n'être jamais
né. Je lui demandai pourquoi. Il me répondit : J'é-
tudie depuis quarante ans : ce sont quarante années de
perdues : j'enseigne les autres, et j'ignore tout. Cet 15
état porte dans mon âme tant d'humiliation et de dégoût,
que la vie m'est insupportable : je suis né, je vis dans le
temps, et je ne sais pas ce que c'est que le temps : je me
trouve dans un point entre deux éternités, comme di-
sent nos sages, et je n'ai nulle idée de l'éternité : je 20
suis composé de matière ; je pense ; je n'ai jamais pu
m'instruire de ce qui produit la pensée : j'ignore si mon
entendement est en moi une simple faculté, comme
celle de marcher, de digérer, et si je pense avec ma
tête comme je prends avec mes mains. Non seulement 25

le principe de ma pensée m'est inconnu, mais le principe
de mes mouvements m'est également caché : je ne sais
pourquoi j'existe ; cependant on me fait chaque jour des
questions sur tous ces points : il faut répondre, je n'ai
rien de bon à dire ; je parle beaucoup, et je demeure
confus et honteux de moi-même après avoir parlé.

C'est bien pis quand on me demande si Brama a été
produit par Vitsnou,[1] ou s'ils sont tous deux éternels ;
Dieu m'est témoin que je n'en sais pas un mot, et il y
paraît bien à mes réponses. Ah ! mon révérend père, me
dit-on, apprenez-nous comment le mal inonde la terre.
Je suis aussi en peine que ceux qui me font cette question : je leur dis quelquefois que tout est le mieux du
monde ; mais ceux qui ont été ruinés et mutilés à la
guerre n'en croient rien, ni moi non plus : je me retire
chez moi accablé de ma curiosité et de mon ignorance.
Je lis nos anciens livres, et ils redoublent mes ténèbres.
Je parle à mes compagnons ; les uns me répondent qu'il
faut jouir de la vie, et se moquer des hommes ; les autres
croient savoir quelque chose, et se perdent dans des idées
extravagantes ; tout augmente le sentiment douloureux
que j'éprouve. Je suis près quelquefois de tomber dans
le désespoir, quand je songe qu'après toutes mes recherches je ne sais ni d'où je viens, ni ce que je suis, ni
où j'irai, ni ce que je deviendrai.

L'état de ce bon homme me fit une vraie peine ; personne n'était ni plus raisonnable ni de meilleure foi que
lui. Je conçus que plus il avait de lumières dans son
entendement et de sensibilité dans son cœur, plus il
était malheureux.

Je vis le même jour la vieille femme qui demeurait
dans son voisinage : je lui demandai si elle avait jamais

été affligée de ne savoir pas comment son âme était
faite. Elle ne comprit seulement pas ma question :
elle n'avait jamais réfléchi un seul moment de sa vie
sur un seul des points qui tourmentaient le bramin : elle
croyait aux métamorphoses de Vitsnou de tout son 5
cœur ; et, pourvu qu'elle pût avoir quelquefois de l'eau
du Gange pour se laver, elle se croyait la plus heureuse
des femmes.

Frappé du bonheur de cette pauvre créature, je re-
vins à mon philosophe, et je lui dis : N'êtes-vous pas 10
honteux d'être malheureux, dans le temps qu'à votre
porte il y a un vieil automate qui ne pense à rien et
qui vit content ? — Vous avez raison, me répondit-il ;
je me suis dit cent fois que je serais heureux si j'étais
aussi sot que ma voisine, et cependant je ne voudrais 15
pas d'un tel bonheur.

Cette réponse de mon bramin me fit une plus grande
impression que tout le reste ; je m'examinai moi-même,
et je vis qu'en effet je n'aurais pas voulu être heureux à
condition d'être imbécile. 20

Je proposai la chose à des philosophes, et ils furent
de mon avis. Il y a pourtant, disais-je, une furieuse
contradiction dans cette manière de penser : car enfin de
quoi s'agit-il ? d'être heureux : qu'importe d'avoir de
l'esprit ou d'être sot ? Il y a bien plus ; ceux qui sont 25
contents de leur être sont bien sûrs d'être contents ;
ceux qui raisonnent ne sont pas si sûrs de bien raisonner. Il est donc clair, disais-je, qu'il faudrait choisir
de n'avoir pas le sens commun, pour peu que ce sens
commun contribue à notre mal-être. Tout le monde 30
fut de mon avis, et cependant je ne trouvai personne qui
voulût accepter le marché de devenir imbécile pour

devenir content.   De là je conclus que si nous faisons
cas du bonheur,   nous faisons encore plus de cas de
la raison.

    Mais, après y avoir réfléchi, il paraît que de préférer
5 la raison à la félicité, c'est être très insensé.   Comment donc cette contradiction peut-elle s'expliquer?
comme toutes les autres: il y a là de quoi parler
beaucoup.

NOTES

ZADIG.

Zadig was first published in 1747 under the title of *Memnon*. It appeared under the present title in the following year with the addition of Chap. XII (*le Souper*), XIII (*le Rendez-vous*), and XVII (*le Pêcheur*). Various additions to Zadig were made in the posthumous Kehl edition of Voltaire's works (1785), the most important being the whole of Chaps. XIV and XV.

The early editions of Zadig had the following *approbation* intended in mockery of the censorship of the press:

" Je soussigné, qui me suis fait passer pour savant et même pour homme d'esprit, ai lu ce manuscrit, que j'ai trouvé malgré moi, curieux, amusant, moral, philosophique, digne de plaire à ceux mêmes qui haïssent les romans. Ainsi je l'ai décrié, et j'ai assuré M. le cadi-lesquier que c'est un ouvrage détestable."

Page 3. — 1. **Sultane Sheraa,** Madame de Pompadour (1721–1764), mistress of Louis XV. is meant.

2. **mois de schewal,** the tenth (lunar) month of the Moslem calendar. **Hégire,** the *Hegira* or flight of Muhammad from Medina to Mecca and beginning of the Muhammadan era (622 A. D.).

Page 4. — 1. **Thalestris,** queen of the Amazons, who went with 300 women to meet Alexander the Great, in the hope of raising a race of Alexanders. Scander for Alexander, appears in the name of the Albanian hero, Scanderbeg (1403–1468). For Queen of Sheba (*Sabée*), see 1 Kings, Ch. x.

Page 5. — 1. **turlupinades,** *puns, quibbles.* The word in this sense is taken from Legrand (d. 1634), an actor of the *Hôtel de Bourgogne* who assumed when playing in farce the name of Turlupin.

Page 7. — 1. **Imaüs,** a name given in ancient times to a chain of mountains in Central Asia, probably corresponding to the modern Himalayas.

Page 10. — 1. **Arnoult contre l'apoplexie;** " Il y avait dans ce temps un Babylonien, nommé Arnoult, qui guérissait et prévenait toutes les apoplexies, dans les gazettes, avec un sachet pendu au cou." (*Note de Voltaire.*)

Page 11. — 1. **trop difficile à vivre,** *too hard to get along with.*

2. Voltaire is ridiculing here the *Académie des Sciences* (which had refused to elect him member), and more particularly Réaumur, for whom see also page 109, note 2.

Page 12. — 1. **à onze deniers;** pure silver is reckoned at 12 deniers; so that *argent à onze deniers* would be $\frac{11}{12}$ pure silver or approximately silver .925 fine.

Page 16. — 1. **théurgite,** " theurgist " or " magician "; here used simply for *priest.*

2. **Yébor,** anagram of Boyer (1675-1755) a theatin monk, who became bishop, preceptor of the Dauphin, etc., through the influence of the Cardinal de Fleury. Boyer was active on more than one occasion in the persecution of Voltaire.

Page 24. — 1. **physicien,** *physicist.*

Page 25. — 1. **itimadoulet,** *first minister.* Cf. Malcolm's History of Persia (1815): "The first minister, or Itûmad-u-dowlah, was Meerza Tuckee, etc."

2. **voix — — violons,** *singers — fiddlers.*

Page 27. — 1. **Sadder;** See Voltaire's *Essai sur les mœurs,* ch. xi. " Il (Zoroastre) écrivit ou commenta, dit-on, le livre du *Zend*, que les Parsis, dispersés aujourd'hui dans l'Asie, révèrent comme leur Bible. M. Hyde qui nous a donné une traduction du *Sadder*, nous aurait procuré celle du *Zend* s'il avait pu subvenir aux frais de cette recherche. Je m'en rapporte au moins au *Sadder*, à cet extrait du *Zend*, qui est le catéchisme des Parsis."

Page 28. — 1. **cire;** there are various allusions to the language of the Old Testament in the foregoing lines.

Page 34. — 1. pôle de Canope; some editions have *port de Canope*, and in that case the reference would be to the city of Canopus in Egypt. The better reading however is *pôle* and the Canōpus meant is a star of the first magnitude in the constellation Argo, not visible at any latitude higher than the southern part of the Mediterranean. The whole passage means that Zadig guided himself by the stars and constellations to the southward.

Page 35. — 1. atome de boue; for the thought cf. Tennyson's poem Vastness:

" Raving politics, never at rest — as this poor earth's pale history runs,—
  What is it all but a trouble of ants in the light of a million million of suns."

Page 37. — 1. A d'autres, *not I.*

Page 39. — 1. pensé être, *was near being.*

Page 42. — 1. Gangarides, (Γαγγαρίδαι), a people who, according to the ancient geographers, lived along the coasts of Bengal at the mouth of the Ganges.

Page 45. — 1. gangaride. Cf. page 42, note 1.

Page 47. — 1. homme de Cambalu, the *man of Peking.* "Cambalu est la ville capitale du Cathay ou de la Chine Orientale et septentrionale que nous appelons maintenant Pékin." D'Herbelot, *Bibliothèque Orientale* (1697).

2. Li Tien, "Mots chinois qui signifient proprement: *li*, la lumière naturelle, la raison; et *Tien*, le ciel; et qui signifient aussi Dieu." (*Note de Voltaire.*)

Page 48. — 1. Teutath, *Teutates*, war god of Druidical religion.

2. il lui apprendrait à vivre, *he would give him a lesson in manners.*

Page 49. — The main situation in this chapter goes back ultimately to a very old and famous Hindu story. For a comparatively modern form of the tale in Sanskrit (*Upakoshâ and her Four Lovers*) see *Kathâ-sarit-sagara* (Tawney's translation, vol. I, pp. 17 ff.). "It is a story of ancient celebrity in Europe as *Constant du Hamel ou la Dame qui attrapa un Prêtre, un Prévôt et un Forestier.*"

Page 56. — 1. βοῶπις, *ox-eyed*, i. e. having large, full, finely-rounded eyes.

Page 58. — 1. **Arabie Pétrée**; Arabia was divided by the ancient geographers into three parts: Arabia Felix ("Araby the Blest"), Arabia Deserta and Arabia Petraea, the last division including the N. W. part of the country bordering on the Red Sea.

Page 63. — 1. **seigneurs de la bouche**, *lords of the (queen's) table.*

Page 72. — 1. **en demoiselle suivante**, *like a maid in waiting.*

Pagg 75. — 1. **apothicaire du corps**, *apothecary to his lordship's person;* cf. page 63, note 1.

Page 80. — 1. **L'Ermite**; Voltaire's immediate source for the story in this chapter was Thomas Parnell's (1679-1718) poem The Hermit. Parnell was a friend of Swift's and was associated with Addison and Steele on the Spectator.

Page 91. — 1. **Ciel**; "C'est ici que finit le manuscrit qu'on a retrouvé de l'histoire de Zadig. On sait qu'il a essuyé bien d'autres aventures qui ont été fidèlement écrites. On prie messieurs les interprètes des langues orientales de les communiquer si elles parviennent jusqu' à eux." (*Note de Voltaire.*)

MICROMÉGAS.

Micromégas (from μικρὸς *small* and μέγας, *great;* the name contains the implication that all size is relative) was first printed at London in 1752 but was possibly written several years earlier. The first idea of *Micromégas* goes back to Cyrano de Bergerac's *Voyage dans la lune* (1656) but Voltaire was more immediately inspired by Swift's Gulliver.

Renan has said, with some exaggeration perhaps, that the substitution in the 16th Century of the Copernican astronomy for the geocentric and anthropocentric view of the universe held in the middle ages is the capital event in modern thought. The new astronomy appealed to Voltaire especially as an engine of attack on the old theology. The real animus of the story appears in the burst of Homeric laughter with which the giant from Sirius greets the assertion of the Sorbonne doctor that the whole universe exists solely for the benefit of man and that the entire secret of creation is contained in the *Summa* of St. Thomas Aquinas (see p. 114).

It may be noted as a curiosity of thought that the English scientist Alfred Russel Wallace has recently attempted to defend the
anthropocentric theory with arguments drawn from the new
astronomy itself.

Page 93. — 1. **collège des jésuites,** a tribute to the prominence
of the Jesuit schools under the old Régime.   Voltaire himself was
educated at the Jesuit Collège de Louis-le-Grand.

2. **Blaise Pascal** (1623–1662), author of the *Pensées* and *Lettres
provinciales* and one of the greatest masters of French prose.

3. **Le mufti,** an authority on Muhammadan law — especially the
chief doctor of Muhammadan sacred law at Constantinople.   The
word as used here is a thinly disguised reference to the theological
inquisitors of the Church of Rome.

Page 94. — 1. **l'esprit et le cœur;** Voltaire ridicules here and
elsewhere this phrase which is used with special frequency by Rol-
lin (1661–1741) in his *Traité des études.*

2. **Derham** (William), Vicar of Upminster, Essex (1657-1735).
The reference here is explained by the following note on Derham
in the Kehl edition of Voltaire: " Savant anglais, auteur de la théologie astronomique et de quelques autres ouvrages qui ont pour
objet de prouver Dieu par le détail des merveilles de la nature ;
malheureusement, lui et ses pareils se trompent souvent dans l'ex-
position de ces merveilles ; ils s'extasient sur la sagesse qui se montre
dans l'ordre d'un phénomène, et on découvre que ce phénomène est
tout différent de ce qu'ils ont supposé ; alors c'est ce nouvel ordre
qui leur parait un chef-d'œuvre de sagesse.   Ce défaut, commun à
tous les ouvrages de ce genre les ont décrédités.   On sait trop
d'avance, que de quelque manière que les choses soient, l'auteur
finira toujours par les admirer."

Page 95. — 1. **Lulli** (1633–1687).   Famous Florentine musician
who introduced the opera at Paris.   A bitter warfare was waged
between the partisans of French and of Italian music during the
18th century.

2. **secrétaire de l'Académie de Saturne;** Fontenelle (1657–
1757), secretary of the French academy, is meant.   At the beginning of ch. II Voltaire ridicules him for the *préciosité* with which in
his *Dialogues sur la pluralité des mondes* he has adapted astronomy

to the taste of ladies and society people. For an impartial estimate of him see Sainte-Beuve, *Causeries du Lundi*, vol. III,
pp. 314 ff.

Page 99. — 1. illustre habitant; the reference is to Huyghens
(1629–1697), famous Dutch physicist, geometrician and astronomer.

Page 100. — 1. le père Castel, learned French Jesuit (1688–
1757), author of various mathematical works. Castel's invention
of the *Clavecin des couleurs* (intended to make sound visible) won
for him from Voltaire the sobriquet of the Don Quixote of
mathematics.

Page 101. — 1. nouveau style, the change from the Julian to
the Gregorian calendar was still recent when Voltaire wrote. A
date *new style* is eleven days in advance of the same date *old style*.
   2. chien de manchon, *lap dog*.
   3. roi de Prusse, Frederick William I (1688–1740), King of
Prussia and father of Frederick the Great, had a passion for col-
lecting giant soldiers, for whom he found giant wives.

Page 104. — 1. jusqu' alors; the reference is to an expedition
to Lapland undertaken by Maupertuis and other French scientists
in order to measure a degree of longitude.
   2. le dessous des cartes, freely, *the true inwardness of things*.

Page 105. — 1. deux filles laponnes; there are various refer-
ences to these two Lapland maidens by Voltaire — e. g., at the beginning of his fourth *Discours sur l'homme*:

   "Courriers de la physique, argonautes nouveaux,
      Qui franchissez les monts, qui traversez les eaux,
      Ramenez des climats soumis aux trois couronnes
      Vos perches, vos secteurs et surtout deux Laponnes,
      Vous avez confirmé dans ces lieux pleins d'ennui
      Ce que Newton connut sans sortir de chez lui."

   2. les importants, *consequential people*.

Page 106. — 1. Leuwenhoek et Hartsoeker: Antonius van
Leeuwenhoek (*La'-ven-hook*), 1632–1723, Dutch naturalist, one of
the most successful pioneers in the use of the microscope; Niklaas

Hartsoeker (*Härt'-soo-ker*), 1656–1725, Dutch physicist and histologist.

Page 109. — 1. **Swammerdam,** celebrated Dutch naturalist (1637–1680).

2. **Réaumur,** French physicist and naturalist, inventor of the thermometer which bears his name (1683–1757).

Page 110. — 1. **à l'heure que je vous parle**; the story is laid in 1737 and the war here referred to is that between the Turks and Russians, 1736–1739. By the *tas de boue* in line 22 Crimea is meant, which was not annexed to Russia until 1783.

Page 112. — 1. **Descartes,** René Descartes (1596–1650) famous French philosopher, physicist and geometrician.

2. **Malebranche,** (1638–1715) celebrated French metaphysician.

3. **Leibnitz** (1646–1716), German scientist and philosopher; he formulated the system of "monads" according to which there exists between the soul and the body a "preestablished harmony.".

4. **Locke** (1632–1704), English philosopher, author of the *Essay on the Human Understanding*. Many of Voltaire's own ideas are derived from Locke.

5. **entéléchie,** "In Aristotle's use: The realization or complete expression of some function; the condition in which a potentiality has become an actuality." — Murray's *New English Dictionary*.

Page 114. — 1. **Somme de saint Thomas,** the *Summa theologica* of Saint Thomas Aquinas (1227–1274) is still the basis of Catholic doctrinal teaching.

2. **selon Homère**; in Homer's *Iliad*, "shouts of inextinguishable laughter arise among the blessed Gods": cf. Iliad I, 599.

BABOUC.

Page 115. — 1. *Babouc* is supposed to have been written by Voltaire during the last months of 1747 while Voltaire was residing at Sceaux with the Duchesse du Maine. Under pretext of describing Persepolis, Voltaire has in Babouc given a lively picture of eighteenth century Paris. He protests against certain abuses that he has constantly attacked elsewhere — e. g. the habit of church-burial (ch. III), the sale of positions in the army or on the bench (ch. VI), etc.

2. **Sennaar,** region situated between the Tigris and the Euphrates.

Page 116. — 1. **darique,** *Daric,* gold coin of the ancient Persians.

Page 118. — 1. **ancienne entrée,** the *entrance* referred to is that of the Faubourg Saint-Marceau. Cf. *Candide*, Chap. XXII: "Il entra par le faubourg Saint-Marceau, et crut être dans le plus vilain village de la Vestphalie."

Page 121. — 1. **satrape de loi** stands here for *conseiller au parlement.* The parlement de Paris under the old Régime was a sort of high court of justice divided into seven "chambres" and having also certain political functions. There were two principal classes of judges, the présidents or chief justices and the conseillers. The office was regarded as the private property of the judge and could either be sold or passed on to other members of his family. It was against this abuse that Voltaire protests here and elsewhere.

Page 126. — 1. **demi-mage,** *half magician,* here for Jansenist.— **Zerdust** is another form for Zoroaster. — **Grand-lama** = *pope.*

Page 131. — 1. **petit vieillard,** the Cardinal de Fleury (1657–1743), minister of Louis XV, is meant.

Page 133. — 1. **la belle Téone,** Madame de Pompadour is probably referred to. See page 3, note 1.

JEANNOT ET COLIN.

Page 135. — 1. **Jeannot et Colin** was first printed in 1764 in the *Contes de Guillaume Vadé.* It gives a vivid picture of society under the Old Régime with its excess of feminine and salon influence. For the whole subject, see Taine *Origines de la France contemporaine*, Chap. II (*la Vie de Salon*). Taine remarks: "On peut dire qu'en ce siècle la cheville ouvrière de l'éducation est le maître à danser." Cf. what Voltaire says about Jeannot's education (p. 158): "Enfin après avoir examiné le fort et le faible des sciences, il fut décidé que monsieur le marquis apprendrait à danser."

2. **taille** * * **vingtième.**   Names of various taxes.

taille, *villain-tax, poll-tax.*

taillon, *tallage.*

aides, *aids.*

sou pour livre, *additional tax.*

capitation, *capitation.*

vingtièmes, *land-tax of the twentieth.*

Cf. for a similar enumeration Scott's *Heart of Midlothian*, Chap. VIII: "This was a tough true-blue Presbyterian called Deans, who, though most obnoxious to the Laird on account of principles in church and state, contrived to maintain his ground upon the estate by regular payment of mail-duties, kain, arriage, carriage, dry multure, lock, gowpen, and knaveship, and all the various exactions now commuted for money and summed up in the emphatic word RENT."

Page 137. — 1. **bel air,** *fashionable.*

Page 138. — 1. **fêtes mobiles,** *moveable feasts.*

2. **un de nos beaux-esprits,** the reference is to Fontenelle; see page 95, note 2.

Page 139. — 1. **bègue;** Louis le Bègue ("Stammerer"), a son of Charles the Bald and fifth successor of Charlemagne; born 846, King 877–879.

Page 140. — 1. **Clodion le Chevelu,** Clodion Longhair, King of the Franks about 430 A. D.

Page 141. — 1. **vaudevilles,** here *comic songs.*

2. **Année littéraire,** a journal edited by Voltaire's enemy Fréron (1719–1776).

3. **La Fare** (1614–1712); **Chaulieu** (1639–1720); **Comte d'Hamilton** (1646–1720); J.—P. **Sarrasin** (1605–1654); **Voiture** (1598–1648); all celebrated wits and authors of light society verse, etc.

Page 142. — 1. **aux genoux,** *at the feet of.*

Page 143. — 1. **un théatin,** *theatin,* one of a monastic order of regular clerks founded at Rome in 1524, with the purpose of combating the Reformation.

L'HISTOIRE D'UN BON BRAMIN.

Page 147. — 1. *L'Histoire d'un bon Bramin* was written as early as 1759 and published in 1761. Voltaire writes to Madame du Deffand, 13 October, 1759: "Lisez la parabole du Bramin que j'ai eu l'honneur de vous envoyer; et je vous exhorte à jouir, autant que vous le pourrez, de la vie, qui est peu de chose, sans craindre la mort qui n'est rien."

Page 148. — 1. **Vitsnou,** *Vishnu*, in later Hindu mythology, the second member of the trimurti or triad (Brahma, Vishnu and Shiva) regarded respectively as the creator, preserver and destroyer.

VOCABULARY*

A

à, to, at, by, in, from, with; **c'est — qui**, they vie or try who.

abaissement, *m.*, abasement, disgrace, humiliation.

abaisser, to abase.

abandon, *m.*, forsaking, abandonment; **à l'—**, unprotected.

abandonner, to forsake.

abattre, to beat down; **s'—**, to fall, swoop down.

abbé, *m.*, abbot.

abcès, *m.*, abscess.

abeille, *f.*, bee.

abîme, *m.*, gulf, abyss.

abîmer, to swallow up.

abolir, to abolish.

abondance, *f.*, plenty, abundance.   [first.

abord, *m.*, access; **d'—**, first, at

aborder, to accost.

abrégé, *m.*, abstract.   [wood.

absinthe, *f.*, absinthe, worm-

absolument, absolutely, by all means.

abus, *m.*, abuse, error.

académie, *f.*, academy.

accablant, **–e**, overwhelming.

accablement, *m.*, dejection.

accabler, to crush, overwhelm, load.

accepter, to accept.

acception, *f.*, preference, respect.

accommoder (**s'**), to arrange, come to terms.

accompagner, to accompany, attend.

accomplir, to accomplish; **s'—**, to be realized.

accord, *m.*, agreement, harmony; **d'—**, agreed, in harmony, granted.

accorder, to grant, reconcile.

accourir, to run up.

accoutumer, to accustom.

accréditer, to sanction, bring into favor.

accroire (faire), to make believe.

accroître, to increase.

accusa–teur, **–trice**, accuser.

accuser, to accuse, complain.

acéré, **–e**, sharp.

acharnement, *m.*, rage, fury.

acheter, to buy.

achever, to finish, complete.

aconit, *m.*, aconite.

acquérir, to acquire.

acquitter, to acquit; **s'—**, to perform, fulfill.   [ally.

actuellement, at present, actu-

adieu, *m.*, farewell.

admettre, to admit.   [tor

administrateur, *m.*, administra-

admirer, to admire, wonder at.

adorer, to worship, adore.

adoucir, to sweeten, appease; **s'—**, to relent.

adresse, *f.*, skill, craft.

adresser, to address; **s'— à, to** apply to.

adroit, **–e**, dexterous.

*Prepared by Miss Katharine Babbitt, formerly teacher of French in the Friend Academy, New Bedford, Mass.

adroitement, skilfully.

adversaire, *m.*, adversary.

adversité, *f.*, adversity.

affaire, *f.*, affair, business, dispute; avoir — à, to have to do with; se tirer d'—, to get out of a difficulty.

affecter, to affect.

affectionner, to be fond of.

affermir, to strengthen, confirm.

affinité, *f.*, affinity.

affligé, –e, sorrowful.

affliger, to grieve.

affreu–x, –se, ghastly, frightful.

affronter, to affront.

afin que, that, in order that.

agilité, *f.*, agility.

agir, to act.

agit (il s'), *impers.*, the thing is, the question is; de quoi s'— il? what is the matter? voici ce dont il s'—, this is what it is.

agiter, to agitate.

agrandir, to enlarge.

agréable, agreeable; avoir pour —, to consent to.

agréablement, agreeably.

agrément, *m.*, pleasantness, charm.

aide, *f.*, help; *pl.*, subsidies.

aider, to help.

aigre, sour, shrill.

aigrir, to sour, exasperate.

aigu, –e, sharp.

aiguille, *f.*, needle.

aile, *f.*, wing.

ailleurs, elsewhere; d'—, besides, after all.

aimable, amiable.

aimer, to love, be fond of, like.

aîné, –e, eldest.

ainsi, thus, so.

ainsi que, as well as, just as, like.

air, *m.*, air, look, manner; avoir l'—, to look, seem; bel —, gentility, fashion.

aise, *f.*, ease.

aisé, –e, easy.

aisément, easily.

ajouter, to add, go on saying.

ajustement, *m.*, adjustment, dress.

ajuster, to adjust, fit; s'—, to fit, adapt oneself.

algébriste, *m.*, algebraist.

allégresse, *f.*, joy.

alléguer, to allege, quote.

Allemagne (l'), *f.*, Germany.

allemand, –e, German.

aller, to go, walk, be on the point of.

allumer, to kindle, light up.

almanach, *m.*, almanac, calendar.

alors, then, at that time.

altesse, *f.*, highness.

amant, *m.*, lover.

amas, *m.*, heap.

ambitieu–x, –se, ambitious.

âme, *f.*, soul, spirit, mind.

amende, *f.*, fine, penalty.

amener, to bring.

amertume, *f.*, bitterness.

ami, *m.*, amie, *f.*, friend, acquaintance.

amitié, *f.*, friendship.

amour, *m.*, love, fondness, Cupid.

amoureu–x, –se, in love.

amour-propre, *m.*, self-love, conceit.

amphithéâtre, *m.*, amphitheatre.

amusant, –e, amusing, laughable.

amuser, to amuse; s'—, to amuse *or* enjoy oneself.

an, *m.*, year.

analogie, *f.*, analogy.

anathème, *m.*, curse.

ancêtres, *m. plur.*, forefathers, ancestors.

ancien, –ne, old, ancient, former.

anéantir, to annihilate. [tion.

anéantissement, *m.*, annihila-

ange, *m.*, angel.

animalcule, *m.*, animalcule.

animé, –e, animated.

animer, to animate; s'—, to become animated.

anneau, m., ring.

année, f., year, twelvemonth.

annoncer, to announce.

antichambre, f., antechamber.

antique, old-fashioned, old.

antiquité, f., antiquity.

apaiser, to pacify, hush.

apercevoir, to perceive, notice; s'—, to notice.

Apis, sacred bull of Memphis.

apologie, f., apology.

apologue, m., apologue, fable.

apothicaire, m., apothecary.

appareil, m., show, attire.

apparemment, apparently.

apparence, f., look, appearance, probability.

apparent, –e, apparent, seeming.

appartement, m., apartment.

appartenir, to belong to.

appeler, to call.

appétit, m., appetite, longing.

applaudir, to applaud.

application, f., application, diligence.

appliqué, –e, studious.

appliquer, to apply.

apporter, to bring, fetch.

apprendre, to learn, inform, teach.

apprêter, to prepare.

approcher, to bring near; s'—, to approach.

approprier, to appropriate; s'—, to appropriate to oneself, embezzle.

appuyer, to prop up, lean; s'—, to lean.

après, after.

après-midi, f., afternoon.

arabe, m., Arab; adj. Arabic.

Arabie (l'), f., Arabia.

araignée, f., spider.

arbitre, m., arbiter.

arbre, m., tree.

arbrisseau, m., shrub, small tree.

arche, f., arch, ark.

archer, m., archer.

archevêque, m., archbishop.

archimage, m., archmagus.

archimandrite, m., archimandrite, abbot.

architecte, m., architect.

archives, f. pl., records.

arçon, m., holster, saddle-bow.

ardeur, f., ardor, zeal.

arène, f., arena.

argent, m., silver, money.

arithmétique, f., arithmetic.

arme, f., weapon, arm; plur., warfare.

armée, f., army, host.

armer, to arm, equip; s'—, to arm oneself.

armoiries, f. plur., coat of arms.

armure, f., armor.

arpenter, to survey land.

arracher, to tear away, pull out.

arranger, to arrange; s'—, to come to an agreement.

arrêt, m., sentence, decree.

arrêter, to stop.

arrivée, f., arrival.   [occur.

arriver, to come, arrive, happen,

arroser, to water, bathe.

art, m., art, artifice, skill.

article, m., paper, article.

articulé, –e, articulate.

articuler, to utter.

artiste, artist, performer.

ascendant, m., influence.

Asie (l'), f., Asia.

asile, m., refuge, shelter.

aspirer, to aspire.

assaillir, to assail.

assassin, m., murderer.

assassiner, to kill, murder.

assemblage, m., assemblage.

assemblée, f., assembly.

assembler, to assemble.

asseoir, to seat; s'—, to be seated.

assez, enough, rather.

assis, –e, seated, sitting.
assistance, *f.*, help.
assister, to help, be present.
assoupir, to make drowsy.
assourdir, to deafen.
assuré, –e, certain, steady, firm.
assurément, assuredly.
assurer, to assert, assure; s'—, to make sure of.
astre, *m.*, star.
astrologie, *f.*, astrology.
astronome, *m.*, astronomer.
astronomie, *f.*, astronomy.
atome, *m.*, atom.   [ness.
atrocité, *f.*, atrocity, atrocious-
attachement, *m.*, attachment.
attaché, –e, attached, fond (of).
attacher, to tie, fasten, link.
attaquer, to attack.
atteindre, to reach, overtake.
atteinte, *f.*, attack.
attendant (en), meanwhile.
attendre, to wait, look forward to; s'—, to expect.   [tears.
attendrir, to soften, move to
attendrissement, *m.*, emotion, tears.
attendu que, since.
attentivement, attentively.
attirail, *m.*, paraphernalia.
attirer, to attract.
attracti–f, –ve, attractive.
attraper, to catch, trick.
attribuer, to ascribe.
attribut, *m.*, attribute.
aucun, –e, any, not any, not one.
audience, *f.*, hearing, trial, sitting.
augmenter, to increase.
auguste, august.
aujourd'hui, to-day.
aumônier, *m.*, chaplain.
auparavant, before.   [near.
auprès, close by, near; — de,
aurore, *f.*, aurora, dawn.
aussi, also, so, therefore, as much as; — bien, in fact, as well.

aussitôt, forthwith, as soon.
autant, as much, so much, so many, the same.
autel, *m.*, altar.
auteur, *m.*, author.
automate, *m.*, automaton, simpleton.
autour, around.
autre, other, different, more; rien — chose, nothing else; l'un ou l'—, either; ni l'un ni l'—, neither; l'un l'—, each other; à d'—s! nonsense! not I!
autrefois, formerly, once upon a time.
Auvergne, *f.*, Auvergne.
avancer, to advance, move forward, promote; s'—, to advance.
avant, before, in front of, ere.
avantage, *m.*, advantage.
avantageusement, advantageously.
avare, *m.*, miser.
avec, with, along with.
aventure, *f.*, adventure, accident.
avertir, to warn, give notice.
aveu, *m.*, confession, acknowledgment; de l'— de tout le monde, by common consent.
aveugle, blind.
aveugler, to blind.
avide, grasping, covetous.
avidité, *f.*, greediness.
avis, *m.*, opinion.
avisé, –e, wary, prudent.
aviser, to espy; s'—, to bethink oneself of.
avocat, *m.*, lawyer.
avoir, to have, possess; — à, to have to; il y a, there is, there are; il y avait —, there was, there were; — raison, to be right.
avouer, to own, acknowledge.
axe, *m.*, axis.

B

babouche, *f.*, a sort of slipper.
Babylone, *f.*, Babylon.
bagage, *m.*, luggage, baggage.
bagatelle, *f.*, trifle, bauble.
baguette, *f.*, switch, rod, stick.
baigner, to bathe.
bail, *m.*, lease.
baiser, to kiss, embrace.
baiser, *m.*, kiss.
baisser, to lower, drop; se —, to stoop.
bal, *m.*, ball.   [hesitate.
balancer, to balance, waver, to
balayer, to sweep.
balcon, *m.*, balcony, veranda.
baleine, *f.*, whale.
ballon, *m.*, football, balloon.
Baltique, *f.*, Baltic.
bannir, to banish.   [barian.
barbare, savage, barbarous, bar-
barbe, *f.*, beard.
barbier, *m.*, barber.
bas, basse, low, mean.
bas, *m.*, bottom; en —, down below; ici —, here below; là —, yonder.
basilic, *m.*, basilisk.
basilique, *f.*, basilica.
basse-cour, *f.*, farm-yard.
bassesse, *f.*, baseness.
bassin, *m.*, basin.
Bassora *or* Basra, a town in Asiatic Turkey.
bataille, *f.*, battle.
bâti, –e, made, built.
bâtir, to build.
bâton, *m.*, stick.
battre, to beat; se —, to fight.
beau, bel, belle, beautiful, fine, handsome, lucky; avoir —, to be in vain.
beaucoup, much, many.
beauté, *f.*, beauty, loveliness.
bègue, *m. f.*, stammerer, stammering.
bénédictin, –e, Benedictine.

bénir, to bless.
berceau, *m.*, cradle, arbor, bower.
berline, *f.*, berlin (carriage).
besoin, *m.*, want, need; avoir — de, to want.
bête, *f.*, beast; *adj.*, stupid.
bibliothèque, *f.*, library.
bien, *m.*, goods, virtue, property; *adv.*, very, indeed, well, much, good looking; eh —! well!
bien-aimé, –e, beloved.
bienfaisant, –e, beneficent, kind, beneficial.
bienfait, *m.*, benefit, kindness.
bienfai–teur, –trice, benefactor, benefactress.
bientôt, soon, shortly.
bienveillance, *f.*, goodwill.
bière, *f.*, beer.
bigot, –e, bigoted.
bijou, *m.*, jewel.
bile, *f.*, bile, wrath.
billet, *m.*, note.
bizarre, odd, whimsical.
bizarrerie, *f.*, whim, caprice.
blan –c, –che, white.
blancheur, *f.*, whiteness.
blason, *m.*, heraldry.
blasphème, *m.*, blasphemy.
blessé, –e, wounded man *or* woman.
blesser, to wound.
blessure, *f.*, wound.
bleu, –e, blue.   [fair.
blond, –e, light-complexioned,
bœuf, *m.*, ox, bullock.
boire, to drink.
boire, *m.*, drink.
bois, *m.*, wood, forest.
boiter, to limp.
boiteu–x –se, lame, crippled.
bon, –ne, nice, good; à quoi —, what is the use.
bonheur, *m.*, happiness, good luck, success.
bonhomme, *m.*, simple soul, good man.
bonnet, *m.*, cap.

bonté, *f.*, goodness.   [priest).
bonze, *m.*, bonze (Buddhist
bord, *m.*, edge, bank.
border, to skirt, border.
bordure, *f.*, border, frame.
boréal, –e, northern.
borgne, one-eyed.
borné, –e, limited.
borner, to limit.
bossette, *f.*, boss, stud.
botanique, *f.*, botany.
Bothnie (la), *f.*, Bothnia.
bouche, *f.*, mouth.
boucher, to stop up.
boue, *f.*, mud.
bouffi, –e, swollen out, inflated.
bouillir, to boil.
boule, *f.*, ball.   [goat.
bouquin, *m.*, old book, old he-
bourdonnement, *m.*, buzz.
bourg, *m.*, market-town, bo-
    rough.
bourgade, *f.*, village.
bourse, *f.*, purse.
bout, *m.*, end; venir à — de, to
    succeed in, overcome.
bouteille, *f.*, bottle.
bramin, brahmane *or* brahmine,
    m., Brahmin.
branche, *f.*, bough, branch.
branler, to shake.
braquer, to point.
bras, *m.*, arm, hands.
brassard, *m.*, brace, armlet.
brassardé, –e, having an arm-
    guard.
brave, worthy, gallant.
bréviaire, *m.*, breviary.
bride, *f.*, bridle; à toute —, at
    full speed.
briguer, to solicit.
brillant, –e, bright, sparkling.
briller, to shine.
briser, to break.
broche, *f.*, brooch, spit.
brochure, *f.*, pamphlet.
bruit, *m.*, noise, clamor, rumor,
    fame.

brûler, to burn.
brun, –e, brown.
brune, *f.*, dark-haired girl *or*
    woman.
brusquement, suddenly, ab-
    ruptly.   [brute.
brutal, –e, brutish; *m. f.*, churl,
bûcher, *m.*, funeral pile, stake.
buisson, *m.*, bush.
bureau, *m.*, office.
butin, *m.*, booty, plunder.

C

ça (*see* cela), that; — et là,
    here and there.
cabale, *f.*, cabal.
cabane, *f.*, hut, cabin.
cabaret, *m.*, tavern.
cabinet, *m.*, study, closet, cabinet.
caché, –e, hidden.
cacher, to hide.
cadavre, *m.*, dead body.
cad–et, –ette, younger.
cahoter, to jolt.
caillou, *m.*, pebble.
calcul, *m.*, computation.
calcula–teur, –trice, calculating;
    noun, calculator.
calculer, to reckon, compute.
camarade, *m. f.*, comrade.
campagne, *f.*, country.
candidat, *m.*, candidate.
canicule, *f.*, dog-days, dog-star.
Canope, Canopus.
cantate, *f.*, cantata.
cap, *m.*, headland, head; armé
    de pied en —, armed from
    head to foot.
capitaine, *m.*, captain.
capital, –e, capital; *f.*, metro-
    polis.
capitation, *f.*, poll-tax.
capricieu–x, –se, capricious, a
    capricious person.
capti–f, –ve, captive.
car, for, because.

caracoler, to caracole.
caractère, *m.*, character, letter.
carat, *m.*, carat, small diamond.
caravane, *f.*, caravan.
caresse, *f.*, caress.
carillonner, to ring a peal, jingle.
carré, –e, square.
carrière, *f.*, course, career.
carrosse, *m.*, coach.
carte, *f.*, card.
cartésien, –ne, Cartesian.
cas, *m.*, case, high opinion ; **faire grand — de**, to think very highly of, dote on.
casque, *m.*, helmet.
casqué, –e, helmeted.
casser, to break.　　　[Cathay.
Cathayen, –ne, inhabitant of
cause, *f.*, cause, suit.
causer, to converse, chat.
cavalier, *m.*, horseman.
ce, cet, *m.*, cette, *f.*, ces, *pl.*, this, that, these, those.
ce, c', he, she, it, they.
ceci, this, this thing.
céder, to give up, yield.
ceinture, *f.*, girdle, waist.
cela, that, that thing ; **c'est —,** that is it.
célébrer, to celebrate, praise.
célèbre, famous, renowned.
céleste, heavenly, celestial.
Celte, *m., f.,* Celt.
celui, *m.,* celle, *f.,* ceux, *m. pl.,* celles, *f. pl.,* he, she, one, they, those, him, her, the one.
celui-ci, *m.,* celle-ci, *f.,* ceux-ci, celles-ci, *pl.,* this person, the latter, these.
celui-là, celle-là, ceux-là, celles-là, that person, those, the former, the first.
cent, *m.,* a hundred.
centième, hundredth.
cependant, in the meantime, however, nevertheless.
cercle, *m.,* circle ; **quart de —,** quadrant.

certain, –e, certain, worthy of trust, stated.
certainement, certainly.
cerveau, *m.,* brain.
cesse, *f.,* rest, ceasing.
cesser, to leave off, to cease.
chacun, –e, each, every one.
chagrin, *m.,* sorrow.
chagrin, –e, sorrowful.
chaîne, *f.,* chain.
chair, *f.,* flesh.
chaise, *f.,* chair, chaise.
Chaldéen, –ne, *m., f.,* Chaldean.
chambellan, *m.,* chamberlain.
chambre, *f.,* room.
chameau, *m.,* camel.
champ, *m.,* field, space ; **sur-le —,** on the spot, forthwith.
chancelier, *m.,* chancellor.
chandelle, *f.,* candle.
changeant, –e, changeable, fickle.
changer, to change.
chanson, *f.,* song.
chanter, to sing.
chaos, *m.,* chaos, confusion.
chapeau, *m.,* hat.
chaque, each, every.
char, *m.,* chariot.
charge, *f.,* load, charge, office.
charger, to load, intrust, charge ; **se —,** to take charge of.
charmant, –e, delightful, charming.
charme, *m.,* spell, charm.
charmé, –e, delighted.
charrette, *f.,* cart.
chasser, to drive away, dismiss.
château, *m.,* castle.
châtier, to chastise.
châtiment, *m.,* chastisement, punishment.
chatouiller, to tickle.
chaudron, *m.,* caldron.
chauve, bald.
chef, *m.,* head, chief.
chef-d'œuvre, *m.,* masterpiece ; *plur.,* des chefs-d'œuvre.
chemin, *m.,* way, road.

chêne, *m.*, oak.
cher, chère, *adj.*, dear, beloved.
cher, *adv.*, dear, dearly.
chercher, to look for, seek, endeavor.
chère, *f.*, cheer, entertainment, fare.
chèrement, dearly, dear.
chéri, –e, beloved.
chérir, to be fond of, cherish.
chéti–f, –ve, puny, wretched.
cheval, *m.*, horse; monter, aller à —, to ride.
chevalier, *m.*, knight.
chevelu, –e, long-haired.
cheveu, *m.*, hair.
chez, at the house of, among, to, with.
chien, –ne, dog.   [ful.
chimérique, chimerical, fanci-
Chine (la), *f.*, China.
choisir, to choose.
choix, *m.*, choice.
choquer, to shock, wound.
chose, *f.*, thing.
ciel, *m.*, heaven, the sky.
ciguë, *f.*, hemlock.
cinq, five.
cinquante, fifty.
cinquantième, fiftieth.
cinquième, fifth.
circonférence, *f.*, circumference.
circonspect, –e, prudent.
circonstance, *f.*, circumstance.
circulaire, circular.
cire, *f.*, wax.
cirque, *m.*, circus.
ciseau, *m.*, chisel; *pl.*, scissors.
citer, to quote, summon.
citoyen, –ne, citizen.
civil, –e, civil, private.
clair, –e, clear.
clairement, clearly.
clarté, *f.*, light, brightness.
climat, *m.*, climate.
clou, *m.*, nail, stud.
cœur, *m.*, heart, soul, spirit.
coffre, *m.*, chest, coffer.

coiffure, *f.*, coiffure.
coin, *m.*, corner, nook.
colère, *f.*, anger; *adj.*, hasty, passionate.
colérique, choleric.
colifichet, *m.*, bauble.
colimaçon, *f.*, snail.
collège, *m.*, school, college.
coller, to stick, glue.
collier, *m.*, necklace.
colline, *f.*, hill.
colombe, *f.*, dove.   [warrior.
combattant, *m.*, combatant,
combattre, to fight.
combien, how much, how many.
comble, *m.*, top, roof, the summit, zenith.
comédie, *f.*, comedy, play, theatre.
comète, *f.*, comet.
comme, *adv.*, like, how; *conj.*, as, when, since, whereas.
commencer, to begin, commence.
comment, how, why, what? *interj.*, how! what! indeed!
commerce, *m.*, trade, business.
commettre, to commit, be guilty of.
commis, *m.*, clerk.
commission, *f.*, commission, errand.
commode, convenient, pleasant.
commodément, comfortably.
commodité, *f.*, convenience, accommodation, opportunity.
commun, –e, common, usual, plentiful.
communiquer, to impart.
compagne, *f.*, companion.
compagnie, *f.*, company.
compagnon, *m.*, companion, attendant.
comparaison, *f.*, comparison.
comparer, to liken.
complaisance, *f.*, complaisance.
complaisant, –e, complaisant, obliging.

comporter, to allow; se —, to behave.

composer, to compose, write.

comprendre, to understand.

compromettre, to compromise, implicate.

compte, *m.*, account, calculation.

compter, to count, pay.

comptoir, *m.*, counter.

concerter, to concert.

concevoir, to conceive.

concitoyen, –ne, fellow-citizen.

conclure, to conclude.

condamnation, *f.*, doom, judgment; passer —, to pass sentence.

condamner, to condemn, sentence.

condition, *f.*, condition; à — que, sous — que, on condition that.

conduire, to lead, conduct, guide.

confesseur, *m.*, confessor.

confiance, *f.*, trust, confidence.

confier, to confide.

confins, *m. plur.*, confines, borders.

confirmer, to confirm.

confisquer, to confiscate, forfeit.

confiture, *f.*, preserves, jam.

confondre, to mingle, confuse, disturb.   [to.

conforme, conformable to, true

confrère, *m.*, brother, colleague.

confronter, to confront, compare.

confus, –e, confused, ashamed.

congé, *m.*, leave.

congédier, to dismiss.

congratuler, to congratulate.

conjurer, to conspire, beseech.

connaissance, *f.*, knowledge, acquaintance; tomber sans —, to fall senseless.

connaître, to know, be acquainted with.

conquête, *f.*, conquest.

consacrer, to consecrate, devote.

conseil, *m.*, counsel, adviser, council.

conseiller, to advise, counsel.

consentement, *m.*, consent.

consentir, to consent.

conséquent; (par) —, consequently.

conservation, *f.*, preservation.

conserver, to preserve, keep.

considérable, weighty, considerable.

considéré, –e, much respected, looked at.

considérer, to gaze on, look at, examine, respect.

consolant, –e, comforting.

consola–teur, –trice, consoler.

consolation, *f.*, comfort, solace.

consoler, to comfort.

consommer, to complete, consume.

constance, *f.*, constancy.

construire, to construct.

consulter, to advise with.

conte, *m.*, tale, story.

contempler, to contemplate, behold, gaze on.

contemporain,–e, contemporary.

contenir, to hold, contain.

content,–e, cheerful, pleased, satisfied.

contenter, to satisfy; se —, to be content.

conter, to relate.

continuel, –le, continual.

continuer, to continue.

contraindre, to constrain, compel.   [forced.

constraint, –e, constrained,

contraire, contrary, unfavorable.

contre, against.

contre-coup, *m.*, result, counter-shock.   [prove.

contredire, to contradict, disprove.

contrée, *f.*, country.

contribuer, to contribute.

convaincre, to convince.

convenir, to agree, acknowledge, suit.

convenu, –e, settled, agreed.

conversation, _f._, conversation, talk.

convive, _m._, guest.

convoitise, _f._, covetousness.

coquin, _m._, rascal.

cordeau, _m._, line, rope: **tirer au —**, to lay out by the line.

cornet, _m._, horn; **— à bouquin,** cowherd's horn.

corps, _m._, body.

corridor, _m._, passage, gallery.

corriger, to correct, punish.

corrompre, to corrupt, spoil, destroy, vitiate.

cortège, _m._, retinue.

côte, _f._, coast.

côté, _m._, side, way.   [of.

côtoyer, to go along, by the side

cou, _also_ col, _m._, neck.

couché, lying down.

couchée, _f._, stopping for the night, night's lodging.

coucher, to put to bed, lay down; **se —,** to go to bed, lie down.

couler, to flow.

couleur, _f._, color.

coup, _m._, blow, wound, thrust.

coupable, guilty, guilty person.

coupe, _f._, cup, goblet.

coupe-gorge, _m._, den of thieves.

couper, to cut, lop off.

cour, _f._, court.

courageu-x, -se, courageous.

courbe, _f._, curve; _adj.,_ curved.

courber, to bend.

courir, to run, hasten.

couronne, _f._, crown.

courrier, _m._, messenger, courier.

courroucer, to anger; **se —,** to be wroth, rage.

course, _f._, running, race, privateering.

court, -e, short.

courtisan, _m._, courtier.

cousin, -e, cousin.

couteau, _m._, knife.

coûter, to cost.

coutume, _f._, custom.

couvert, -e, covered.

couvrir, to cover.

crachement, _m._, spitting.

craindre, to fear, dread.

crainte, _f._, fear.

crayonner, to sketch.

créanci-er, -ère, creditor.

créateur, _m._, creator.

crème, _f._, cream.

creuser, to hollow.

creu-x, -se, deep, hollow.

cri, _m._, cry.   [against.

crier, to cry out, screech, inveigh

criminel, -le, criminal, guilty.

croire, to believe.

croître, to grow, increase.

croupe, _f._, crupper, back.

croyable, credible, worthy of be-

cube, cubic.   [lief.

cuir, _m._, leather.

cuirassé, -e, armed with a cuirass.

cuire, to cook.

cuisine, _f._, kitchen.

cuisinier, _m._, cook.

cuissard, _m._, armor for the thigh.

cuivre, _m._, copper, copper coin.

culotte, _f._, breeches.

cultiver, to cultivate.

cultivé, -e, cultivated.

cupidité, _f._, cupidity.

cure-dent, _m._, tooth-pick.

curieu-x, -se, curious, eager, inquisitive, busybody.

curiosité, _f._, curiosity.

D

daigner, to vouchsafe, deign.

dais, _m._, canopy.

dame, _f._, lady.

dangereu-x, -se, dangerous.

dans, in, into, within, during.

danser, to dance.

darique, _f._, daric (coin).

davantage, more, longer.

de, of, from, out of, with, **by.**

débarquer, to land.

débarrasser, to rid of; **se—**, to get rid of.

débattre, to argue; **se —**, to struggle.

débauche, *f.*, debauch.

débauché, **-e**, debauched.

débiter, to deliver.

débi-teur, **-trice**, debtor.

debout, upright, standing.

débrouiller, to disentangle.

décadence, *f.*, decay, downfall.

décharger, to unload.

déchiffrer, to make out, decipher.

déchirer, to tear, rend.

déclaration, *f.*, declaration, disclosure.

déclarer, to declare.

déconcerter, to disconcert, baffle.

découverte, *f.*, discovery.

découvrir, to discover, disclose.

dédaigner, to scorn.

dédaigneu-x, **-se**, scornful.

dédain, *m.*, scorn.

dedans, inside.

dédicatoire, dedicatory.

dédommager, to make up, indemnify for.

défaire, to undo, rid of; **se—**, to get rid of.

défaut, *m.*, fault, weak point; **au — de**, for want of.

défendre, to defend, forbid; **se—**, to resist.

défense, *f.*, defence.

défi, *m.*, challenge.

défiant, **-e**, mistrustful, distrustful, wary.

défier, to defy; **se—**, to distrust.

défunt, **-e**, deceased.

dégoût, *m.*, loathing.

dégoûtant, **-e**, disgusting.

degré, *m.*, degree.

dehors, outside, appearances.

déjà, already.

déjeuner, to breakfast, *m.*, breakfast.

delà, beyond.   [touchy.

délicat, **-e**, delicate, dainty,

délicatesse, *f.*, delicacy.

délicieu-x, **-se**, delicious, delightful.

délivrer, to deliver, rescue.

demain, to-morrow.

demander, to ask, beg.

démêler, to disentangle, discover.

déménager, to remove, move.

demeure, *f.*, abode, dwelling.

demeurer, to live, dwell, remain.

demi, **-e**, half; **—-tour**, *m.*, half-turn; **faire un —-tour**, to face about; **—-mot**, *m.*, hint.

demoiselle, *f.*, damsel, young lady.

denier, *m.*, denier, penny, farthing.

denrée, *f.*, provisions, commodity.

dénuer, to strip.

départ, *m.*, departure.

dépendre, to depend.

dépens, *m. plur.*, expense.

dépense, *f.*, expenditure.

dépenser, to spend.

déplaire, to displease.

déplorer, to bewail.

déposer, to lay down, put down, commit, give evidence.

déposséder, to dispossess, strip.

dépouille, *f.*, booty.

depuis, since; **— que**, for, during, afterward, since; **— que**, recently.

député, *m.*, deputy.

derni-er, **-ère**, last, latter.

dérober, to steal from, shield; **se—**, to escape, shun, be hidden.

derrière, back; *prep.*, behind.

derviche, **dervis**, *m.*, dervish.

dès, from; **— que**, as soon as.

désarçonner, to unhorse.

désarmer, to disarm.

désastre, *m.*, disaster.

descendre, to go down.

désert, **-e**, desert, *m.*, wilderness.

désespéré, –e, in despair.
désespérer, to despair.
désespoir, *m.*, despair.
désintéressé, –e, unselfish.
désintéressement, *m.*, disinterestedness, unselfishness.
désir, *m.*, desire, longing.
désirer, to desire.
désolé, –e, laid waste, distressed.
désoler, to lay waste.
désordre, *m.*, disorder.
désormais, hereafter, henceforth.
despotique, despotic.
despotiquement, despotically.
dessécher, to dry.
dessein, *m.*, design, purpose, plan.
dessin, *m.*, drawing.
dessous, beneath, below.
dessus, on, upon, above; **là-dessus,** thereupon.
destin, *m.*, fate, destiny.
destinée, *f.*, destiny, fate.
destiner, to destine, doom.
détaché, –e, detached.
déterminer, to induce.
détourner, to turn away.
détruire, to destroy.
deux, two.
deuxième, second.
devant, before, in front of; **de —,** front; **aller au-devant de,** to go to meet.
développer, to unfold, develop.
devenir, to become.
deviner, to divine, find out.
devise, *f.*, motto, device.
devoir, to owe, be obliged, be necessary.
devoir, *m.*, duty.
dévorer, to devour; **se —,** to devour each other.
dévot, –e, devout, sanctimonious.
diamant, *m.*, diamond.
diamètre, *m.*, diameter.
dicter, to dictate.
Dieu, *m.*, God.

différence, *f.*, difference.
différend, *m.*, difference.
difficile, difficult, hard, troublesome, unaccommodating.
difficulté, *f.*, difficulty.
digérer, to digest.
digne, worthy.
dignité, *f.*, dignity,
diligence, *f.*, speed, diligence.
diminuer, to diminish.
dîner, to dine; **—,** *m.*, dinner.
dire, to say, express, declare; **c'est-à-dire,** that is to say.
diriger, to direct.
discernement, *m.*, discernment, acuteness.
discerner, to discern.
discorde, *f.*, discord.
discours, *m.*, speech.
discr–et,–ète, discreet, judicious.
discrétion, *f.*, prudence, discretion.
disgrâce, *f.*, fall from favor, disgrace, affliction.
disgracier, to disgrace.
disparaître, to disappear, vanish.
disputer, to dispute, vie with, contend.
disséquer, to dissect.
distinctement, distinctly.
distinction, *f.*, eminence, distinction.
distinguer, to distinguish.
distraction, *f.*, inattention, absence of mind.
distrait, –e, absent, heedless.
distribuer, to distribute.
divan, *m.*, divan (*fig.*, council).
divers, –e, various, diverse.
divertir, to divert, entertain.
divin, –e, divine.
divinité, *f.*, godhead.
diviser, to divide.
divisibilité, *f.*, divisibility.
dix, ten.
dixième, tenth.
docteur, *m.*, doctor.

doigt, *m.,* finger.

domaine, *m.,* domain.

domestique, *m.,* servant.

dommage, *m.,* wrong, pity.

dompter, to subdue.

don, *m.,* gift.

donc, then, so.

donner, to give.

dont, of whom, whose, from which, with which.

doré, -e, gilt, golden.

dormir, to sleep.

dos, *m.,* back.

dot, *f.,* dowry.

douane, *f.,* customs.

doucement, gently, sweetly.

douceur, *f.,* sweetness, gentleness.

douleur, *f.,* pain, sorrow.

douloureu–x, -se, painful.

douloureusement, sorrowfully.

doute, *m.,* doubt.

douter, to doubt, question; **se —,** to suspect.

dou–x, -ce, sweet, gentle, mild.

douze, twelve.

drachme, *f.,* drachm.

droit, -e, right, straight, straightforward; (*noun*) tax; **de —,** by right.

droiture, *f.,* uprightness.

dromadaire, *m.,* dromedary.

duc, *m.,* duke.

ducat, *m.,* ducat.

dur, -e, hard.

durable, lasting.

durée, *f.,* continuance.

durer, to last.

dureté, *f.,* hardness.

E

eau, *f.,* water.

ébène, *m.,* ebony.

éblouir, to dazzle.

éblouissant, -e, dazzling.

ébranler, to shake, unsettle.

écarté, -e, remote, lonely.

écarter, to remove, set aside, scatter.

échapper, to escape; **s' —,** to escape.

échauffer, to heat; **s' —,** to get warm, grow angry.

échec, *m.,* chess.

écheniller, to clear from caterpillars.

échoir, to fall to the lot.

échouer, to run aground.

éclaircir, to clear up, solve.

éclaircissement, *m.,* enlightenment.

éclairer, to enlighten.

éclat, *m.,* burst, brilliancy.

éclater, to burst, break out.

école, *f.,* school.

écorcher, to skin, graze.

écouter, to listen.

écraser, to crush.

écrier (s'), to cry out, exclaim.

écrire, to write.

écrit, *m.,* writing.

écu, *m.,* crown.

écurie, *f.,* stable.

écuyer, *m.,* squire, equerry; **grand —,** the master of the horse.

édifier, to edify.

effarer, to scare.

effectivement, in fact.

effet, *m.,* effect, security, property; **en effet,** in fact.

effilé, -e, slender.

effleurer, to graze, touch slightly.

effroi, *m.,* dismay.

effroyable, frightful.

égal, -e, equal.

également, equally.

égard, *m.,* regard, respect; **à l'— de,** with regard to.

égarer, to lead astray, bewilder.

égorger, to cut the throat of, butcher.

Égypte (l'), *f.,* Egypt.

égyptien, -ne, Egyptian.

élancer, to shoot; s'—, to spring.
élevé, -e, high, bred.
élever, to raise, elevate, rear.
elle, she, her, it.
ellébore, *m.*, hellebore.
éloge, *m.*, praise, eulogy.
éloigné, -e, remote, distant.
éloigner, to remove.
éluder, to evade.
émailler, to enamel.
embarquer, to embark.
embarras, *m.*, hindrance, trouble, embarrassment.
embarrasser, to obstruct, embarrass; s'—, to get mixed up with, trouble one's head about, be at a loss.
embellissement, *m.*, embellishment.
embonpoint, *m.*, stoutness.
embrasser, to embrace, kiss.
émeraude, *f.*, emerald.
émouvoir, to move, rouse.
empaler, to empale.
emparer (s'), to seize.
empêcher, to prevent; s'—, to help, keep from.
empereur, *m.*, emperor.
empester, to infect.
empire, *m.*, empire, sway.
emploi, *m.*, employment.
employer, to employ, use.
empoisonner, to poison.
emporté, -e, hasty, passionate.
emportement, *m.*, transport.
emporter, to carry away; l'—, to get the better of, prevail.
empressé, -e, eager.
empressement, *m.*, eagerness.
empresser (s'), to hasten, be studious of pleasing, assiduously attentive.
emprisonner, to imprison.
emprunter, to borrow.
empyrée, *m.*, empyrean.
ému, -e, *part.*, touched, moved.
émule, *m. f.*, rival, emulator.
en, *prep.*, in, into, like a, as a.

en, *pers. pron.*, of him, of her, of them, of it, thence, from him, from her, from it, from them.
encan, *m.*, auction; à l'—, by auction.
encens, *m.*, incense.
encenser, to flatter.
enchaînement, *m.*, chain, train.
enchanté, -e, enchanted, delightful.
enchanter, to enchant.
enchan-teur, -teresse, enchanter, enchanting.
enchère, *f.*, bid.
enchérir, to outbid; — sur, to surpass.
enclos, *m.*, enclosure.
encore, still, yet, again, still more.
encourager, to encourage.
endosser, to put on, don.
endroit, *m.*, spot, place.
enfance, *f.*, infancy, childhood.
enfant, *m.f.*, child.
enfermer, to shut up *or* in.
enfin, at last, at length, in short.
enflammer, to set fire to, heat, rouse.
enfler, to swell, inflate.
enfoncer, to drive in.
enfuir (s'), to flee, take to flight.
engageant, -e, prepossessing.
engager, to induce, engage.
engeance, *f.*, breed.
engouffrer (s'), to be lost *or* engulfed.
énigme, *f.*, riddle.
enjambée, *f.*, stride.
enlever, to raise, carry away.
ennemi, -e, enemy, foe.
ennuyer, to tire; s'—, to feel dull, be weary.
ennuyeu-x, -se, tedious, wearisome.
énorme, enormous.
enrôler, to enrol, enlist.
ensanglanté, -e, bloody, stained with blood.

ensanglanter, to stain with blood.
enseigner, to teach.
ensemble, together.
ensevelir, to bury.
ensuite, afterwards, next.
entamer, to begin to cut, enter upon.
entéléchie, f., entelechy.
entendement, m., understanding.
entendre, to hear, understand, intend.
entendu, -e, heard, understood, arranged.
enterrer, to inter.
enti-er, -ère, whole, entire, total.
entonnoir, m., funnel.
entourer, to surround.
entraîner, to carry along, gain over, win.
entre, between, among, in.
entrechat, m., caper, cut.
entrecouper, to traverse, break.
entrée, f., entrance.
entreprendre, to undertake.
entrepreneur, m., contractor.
entreprise, f., undertaking.
entrer, to enter.
entretenir, to entertain, converse with.
entretien, m., conversation.
entrevoir, to catch a glimpse of.
envahir, to invade, overrun.
envelopper, to cover, envelop.
envenimé, -e, envenomed.
envers, towards.
envie, f., wish, longing, envy.
envieu-x, -se, envious.
environ, about.
environner, to surround.
environs, m. plur., vicinity.
envoler (s'), to fly away.
envoyé, m., messenger.
envoyer, to send.
épagneul, -e, spaniel.
épargner, to spare.
épaule, f., shoulder.

épée, f., sword.
éperdu, -e, bewildered, distracted.
éperdument, distractedly.
épithalame, m., epithalamium.
épître, m., epistle.
éploré, -e, in tears, weeping.
époque, f., epoch.
épouse, f., wife.
épouser, to marry.
épouvante, f., dismay.
épouvanter, to appal.
époux, m., husband.
éprendre (s'), to be enamored.
épris, smitten.
épreuve, f., trial, test; à toute —, tried, trusty.
éprouver, to try, prove, experience.
épuiser, to exhaust.
épuré, -e, chaste.
équilibre, m., equilibrium.
équipage, m., equipage, garb, plight, crew.
équité, f., equity.
ermite, m., hermit.
errant, -e, wandering.
erreur, f., error.
erroné, -e, erroneous, wrong.
escalier, m., staircase.
esclavage, m., slavery.
esclave, m.f., slave.
espace, m., space.
espèce, f., kind, sort.
espérance, f., hope.
espérer, to hope, expect.
esprit, m., spirit, mind, intellect, wit; bel —, wit.
essai, m., trial, test.
essayer, to try.
essentiellement, essentially.
essouffler, to put out of breath.
essuyer, to wipe, endure, undergo.
estime, f., esteem.
estimer, to estimate, value.
et, and.
établir, to set up, establish.

étage, *m.*, story, floor, rank.
étaler, spread out, display.
étamer, to tin.
étang, *m.*, pond.
état, *m.*, state, condition., plight;
en — de, in a position to,
able to.
éteindre, to extinguish, quench.
étendre, to extend, stretch.
étendu, –e, extensive.
étendue, *f.*, extent.
éternel, –le, lasting, eternal.
éternité, *f.*, eternity.
étincelle, *f.*, spark.
étiquette, *f.*, label, etiquette.
étoile, *f.*, star.
étonnant, –e, astonishing.
étonnement, *m.*, wonder, amaze-
ment.
étonner, to astonish; s'—, to be
astonished, wonder, waver.
étouffer, to smother, choke.
étourdi, –e, blunderer.
étrange, strange.
étrang-er, –ère, foreign, unknown, foreigner.
étrangler, to strangle.
être, to be, exist, belong; *noun*,
being, existence.
étroit, –e, narrow, close.
étroitement, closely, narrowly.
étude, *f.*, study.
étudier, to study; to make it
one's study.
Euclide, *m.*, Euclid.
eunuque, *m.*, eunuch.
Euphrate (l'), *m.*, the Euphrates.
évanouir (s'), to faint, swoon,
vanish.
éveillé, –e, awakened.
éveiller, to wake, rouse; s'—,
to awake.
événement, *m.*, event.
éviter, to avoid.
exagérer, exaggerate.
examen, *m.*, examination.
examiner, to examine.
excepter, to except.

excès, *m.*, excess.
excessi-f, –ve, excessive.
exciter, to urge, excite.
exécuter, to execute, carry out,
be done.
exécu-teur, –trice, executor.
exécution, *f.*, execution, carry-
ing out, tendering.
exemple, *m.*, example; par —,
for example, for instance.
exempt, –e, exempt, free.
exempter, to exempt.
exercer, to exercise.
exercice, *m.*, exercise.
exhaler, to exhale, emit.
exhorter, to exhort.
existence, *f.*, existence, life.
exister, to exist.
exorcisme, *m.*, exorcism.
expédier, to despatch, expedite.
expédition, *f.*, despatch, expedition.
expérience, *f.*, experience.
expirant, –e, dying.   [die.
expirer, to breathe out one's last,
expliquer, to explain.
exposer, to exhibit, lay bare;
s'—, to lay oneself open, ex-
pose oneself.
expr-ès, –esse, express; *noun*,
courier.
expressément, expressly, particularly.
exprimer, to express, utter.
exterminer, to destroy utterly.
extrait, *m.*, extract; (*law*) brief.
extraordinaire, extraordinary,
unusual.
extravagant, –e, wild, extravagant, absurd.
extrême, extreme.
extrémité, *f.*, extremity, end.

F

fabuleu-x, –se, fabulous.
fâché, –e, angry, displeased,
sorry.

fâcher, to make angry; se —, to get angry.

facilité, *f.*, facility, ease.

faciliter, to facilitate, make easy.

façon, *f.*, fashion; de — que, so that.

faculté, *f.*, faculty.

faible, feeble, weak, faint; *noun*, the weak, frailty.

faiblesse, *f.*, feebleness, weakness, fainting fit.

faim, *f.*, starvation, hunger.

faire, to do, make, play, counterfeit; se —, to get used to, reconcile oneself to.

fait, -e, *past part.*, done, made.

fait, *m.*, fact; mettre au —, to acquaint with.

fakir, *m.*, fakir.

falloir, must, to be obliged, be necessary.

fameu-x, -se, famous.

familiariser, to familiarize; se —, to grow familiar.

familiarité, *f.*, familiarity; *plur.*, liberties.

famille, *f.*, family, household.

fanatique, fanatical.

fange, *f.*, mud, filth.

fantaisie, *f.*, fancy, whim.

fardeau, *m.*, burden.

faste, *m.*, pomp, display.

fatigue, *f.*, hardship, weariness.

fatiguer, to tire.

fatras, *m.*, rubbish.

faubourg, *m.*, suburb.

faute, *f.*, fault, sin.

fau-x, -sse, false.

faveur, *f.*, favor.

favor-i, -ite, favorite.

favoriser, to favor.

fée, *f.*, fairy.

feindre, to feign.

feinte, *f.*, feint.

félicité, *f.*, happiness.

féliciter, to congratulate.

femme, *f.*, woman, wife.

fendre, to split, cleave.

fendu, -e, split, cloven.

fenêtre, *f.*, window.

fer, *m.*, iron, horse-shoe.

ferme, firm, steady.

fermé, -e, shut, closed.

fermement, firmly.

féroce, fierce, wild.

ferré, -e, shod, tipped with iron.

ferrer, to shoe.

fête, *f.*, festival, feast.

fêter, to observe, feast.

fétu, *m.*, straw.

feu, *m.*, fire; —-follet, will-o'-the-wisp.

fidèlement, faithfully.

feuille, *f.*, leaf.

fibre, *f.*, fibre.

fidèle, faithful, loyal.

fiel, *m.*, spleen, malice.

fie-r, -ère, proud, haughty.

fièrement, proudly, haughtily.

fierté, *f.*, pride, haughtiness.

figure, *f.*, figure, face.

figurer, to figure; se —, to figure to oneself, fancy.

fil, *m.*, thread, stream, current.

filet, *m.*, thread, net.

fille, *f.*, daughter, maiden.

filou, *m.*, pickpocket.

fils, *m.*, son.

fin, *f.*, end, aim.

fin, -e, fine, delicate, acute, keen.

fin, *m.*, fine material, pure metal.

finance, *f.*, cash, finances, exchequer, money matters.

financier, *m.*, financier.

finir, to finish, end.

fixe, fixed, stationary.

fixer (se), to fix, fasten.

fixement, fixedly.

flambeau, *m.*, torch, candlestick.

flamme, *f.*, flame.

flatter, to flatter, caress; se —, to flatter oneself.

flatteu-r, -se, flattering; *noun*, flatterer.

flèche, *f.*, arrow.
flegmatique, phlegmatic.
flétrir, to fade, blight, dishonor.
fleur, *f.*, flower.
fleurir, to bloom, flourish.
fleuve, *m.*, river.
flottant, –e, wavering.
flotter, to float.
flux, *m.*, flood, flow.
foi, *f.*, faith.
foire, *f.*, fair, market.
fois, *f.*, time; à la —, at once; une —, once; deux —, twice.
folie, *f.*, folly, madness.
follet, –te, playful, foolish; feu —, will o' the wisp.
fond, *m.*, bottom, fund, depth, heart; de — en comble, from top to bottom; completely.
fondamental, –e, fundamental.
fondation, *f.*, foundation.
fondement, *m.*, foundation.
fondeur, *m.*, founder, smelter.
fondre, to melt.
fonds, *m.*, ground, landed estate, fund, stock in trade, principal.
fontaine, *f.*, spring, fountain.
force, *f.*, strength.
forcené, –e, mad.
forcer, to compel.
forêt, *f.*, forest.
forfait, *m.*, heinous crime.
forme, *f.*, form, shape.
former, to form, make.
fort, –e, strong; *m.*, strong man, strong side; *adv.*, very, very much.
fortement, strongly.
fortifier, to strengthen; se —, to grow stronger.
fortune, *f.*, fortune, chance.
fortuné, –e, fortunate.
fou, fol, folle, mad, insane.
fouet, *m.*, whip, lashes.
foule, *f.*, crowd, quantity.
fourmilière, *f.*, ant-hill.
fourmiller, to swarm.
fournir, to supply, furnish.

fraîcheur, *f.*, freshness, bloom.
frais, fraîche, cool, fresh.
frais, *m. plur.*, expenses.
franc, franche, frank.
français, –e, French; *noun*, French language, Frenchman.
franchise, *f.*, freedom.
frapper, to strike, knock, rap.
frein, *m.*, bit, curb.
frémir, to shudder.
fréquenter, to frequent.
frère, *m.*, brother, friar.
fripon, –ne, rogue.
frivole, flimsy, trifling.
froid, *m.*, cold; —–e, *adj.*, cold.
froidement, coldly, faintly.
fromage, *m.*, cheese.
front, *m.*, forehead.
frontière, *f.*, frontier.
frotter, to rub.
fugiti–f, –ve, fugitive.
fuir, to flee, take flight, avoid.
fuite, *f.*, flight.
fumée, *f.*, smoke, fumes.
funeste, baleful, disastrous.
fureur, *f.*, fury.
furieu–x, –se, furious.

G

gabelle, *f.*, tax upon salt.
gage, *m.*, pledge, wages.
gagner, to gain, win, earn.
gai, –e, merry, cheerful.
gaieté, gaîté, *f.*, mirth, gaiety.
galant, –e, tasteful, genteel, gallant.   [pliment.
galanterie, *f.*, politeness, com-
galerie, *f.*, gallery.
galoper, to gallop.
Gange (le), *m.*, the Ganges.
garçon, *m.*, boy.
garde, *f.*, guard; prendre —, to take care.
garder, to keep, withhold; se —, to beware; se — de, be careful not to.

garnir, to furnish.
gâter, to spoil.
gauche, left, awkward.
gazette, f., newspaper.
gazon, m., grass.
géant, m., giant.
gémeaux, m. pl., Gemini.
gémissement, m., groan.
gênant, -e, troublesome, annoy-
   ing.
gêner, hinder; se —, to stand
   upon ceremony.
général, -e, general.
généreu-x, -se, generous, noble.
générosité, f., generosity.
génie, m., genius, spirit.
genou, m., knee.
genre, m., kind, species.
gens, m. f. plur., people, ser-
   vants; — de bien, good people.
géographie, f., geography.
géomètre, m., geometrician.
géométrique, geometrical.
gloire, f., glory.
golfe, m., gulf, bay.
gonfler, to inflate.   [fancy.
goût, m., taste, flavor, liking,
goûter, to taste, like.
goutte, f., drop.
goutteu-x, -se, gouty.
gouvernement, m., government.
gouverner, to manage, govern.
gouverneur, m., governor, tutor.
grâce, f., grace, thanks, mercy,
   pardon; de —, I beg of you!
   pray!
grade, m., rank.
graine, f., seed.
grand, -e, great, large, wide,
   high, tall; noun, great man,
   grandee.
grandeur, f., greatness, size.
gratuit, -e, gratuitous, gratui-
   tousness.
gratuitement, gratuitously.
graver, to engrave.
gré, m., will, pleasure.

grec, m., Greek.
gredin, m., scamp.
greffier, m., clerk of the court.
grenadier, m., grenadier.
grief, m., grievance.
griffon, m., griffin.
gris, -e, gray.
gros, grosse, big, bulky.
grossi-er, -ère, gross, coarse,
   plain.
grossièrement, coarsely, plainly.
grossir, to enlarge.
Guèbre, m., fire-worshipper,
   Parsi.
guêpe, f., wasp.
guère, but little, not much,
   hardly.
guérir, to cure; se —, get well.
guérison, f., recovery.
guerre, f., war.
guerrier, m., warrior.
gui, m., mistletoe.
guider, to guide, lead.

H

habile, clever, talented.
habileté, f., ability, cleverness,
   skill.
habiller, to dress.
habit, m., clothes, garb, coat.
habitable, inhabitable.
habitant, -e, inhabitant, resi-
   dent.
habitation, f., habitation, abode.
habiter, to inhabit, live in.
habitude, f., custom.
haine, f., hatred.
haïr, to hate.
haleine, f., breath.
haletant, -e, panting.
hardi, -e, daring.
harmonieu-x, -se, harmonious,
   tuneful.
harpie, f., harpy.
hasard, m., chance, accident; au
   —, at random.
hasarder, to risk.

hâte, *f.*, haste.   [hasten.
hâter, to urge on; se —, to
hausser, to lift up, raise.
haut, -e, loud, high; *m.*, height;
  là-—, above, on high.
hautement, aloud, loudly.
hauteur, *f.*, height, haughtiness,
  pride.
hébété, -e, dullard.
Hébreu, *m.*, Hebrew.
hélas! alas!
herbe, *f.*, grass.
hérésie, *f.*, heresy.
hérétique, heretical; *m.*, a here-
  tic.
hérissé, -e, bristling.
héritage, *m.*, heritage.
hériter, to inherit.
héritier, *m.*, heir.
héroïne, *f.*, heroine.
héros, *m.*, hero.
heure, *f.*, hour, time.
heureu-x, -se, happy, fortunate.
heureusement, happily, success-
  fully.
hier, yesterday.
histoire, *f.*, history, story, tale.
historien, *m.*, historian.
hiver, *m.*, winter.
hommage, *m.*, homage.
homme, *m.*, man, mankind.
honnête, honest, respectable,
  polite, well-bred.
honneur, *m.*, honor.
honoraires, *m. pl.*, fee.
honorer, to honor.
honte, *f.*, disgrace, shame.
honteu-x, -se, ashamed.
hôpital, *m.*, hospital.
horreur, *f.*, horror.
hors, hors de, out of, except.
hospitalité, *f.*, hospitality.
hôte, *m.*, host, guest.
hôtel, *m.*, mansion; **maître d'**—,
  house-steward.
hôtellerie, *f.*, inn.
huée, *f.*, hoot.   [officer.
huissier, *m.*, usher, sheriff's

huit, eight.
humain, -e, human, humane.
humains, *m. pl.*, human beings.
humanité, *f.*, humanity.
humble, humble, lowly.
humblement, humbly.
humeur, *f.*, temper, disposition.
humiliant, -e, humiliating.
humiliation, *f.*, humiliation.
humilité, *f.*, humility.
Hyrcanie (l'), *f.*, Hyrcania.

I

ici, here, hither, now, to-day;
  d'— là, between this and then
  jusqu'—, hitherto, until now;
  —-bas, here below.
idée, *f.*, idea, thought.
ignorance, *f.*, ignorance.
ignorant, -e, ignorant, ignora-
  mus.
ignoré, -e, unknown.
ignorer, to be unacquainted with,
  be ignorant of.
île, *f.*, island, isle.
illustre, illustrious.
image, *f.*, image, picture.
imagination, *f.*, whim, fancy,
  imagination.
imaginer, to imagine, contrive.
immobile, motionless.
immonde, unclean.
immortaliser, to immortalize.
immortel, -le, immortal, death-
  less.
immuable, unalterable, un-
  changeable.
impénétrabilité, *f.*, impenetra-
  bility.
impertinent, -e, impertinent, impertinent creature.
impie, impious.
impiété, *f.*, impiety.
impitoyable, unmerciful, piti-
  less.
impitoyablement, mercilessly.

implorer, to implore, beseech.
important, –e, important; *m.*, consequential person.
importer, to import, be of importance; **peu importe,** it matters little.
importuner, to trouble, importune.
imposant, –e, imposing.
impression, *f.*, impression, print.
imprimer, to stamp, impress.
impromptu, *m.*, extemporary.
imprudent, –e, imprudent, indiscreet.
incarnat, *m.*, flesh color.
incendie, *m.*, fire.
incertain, –e, uncertain.
incessamment, immediately, incessantly.
inclination, *f.*, inclination, bow, fondness.
incliner, to incline, bow, feel disposed.
incommoder, to inconvenience.
inconnu, –e, unknown.
incontinent, forthwith.
inculte, wild, rude.
indécis, –e, doubtful, wavering.
Indes, *f.*, (les), the Indies.
index, *m.*, forefinger.
indice, *m.*, indication, token, sign.
Indien, –ne, Indian.
indigne, unworthy.
indignement, unworthily, infamously.
indigner, to rouse the indignation of.
indignité, *f.*, indignity.
indubitablement, undoubtedly.
indulgence, *f.*, indulgence.
industrie, *f.*, ingenuity.
inégal, –e, unequal, irregular.
inextinguible, unquenchable.
infaillible, infallible.
infecter, to taint.
infidèle, faithless; *noun,* infidel, unbeliever.

infini, –e, infinite, boundless; *noun,* the infinite.
informer, to inform, acquaint; **s'—,** to inquire.
infortune, *f.*, misfortune.
infortuné, –e, unfortunate, ill-fated.
ingénieu–x, –se, ingenious.
ingénument, frankly, fairly.
ingrat, –e, *adj.,* ungrateful, thankless; *noun,* ungrateful person.
inhumain, –e, inhuman.
inimitié, *f.*, enmity.
inintelligible, unintelligible.
iniquité, *f.*, iniquity.
initier, to initiate.
injure, *f.*, insult.
injustice, *f.*, injustice.
innombrable, innumerable.
inonder, to overflow, deluge.
inouï, –e, unheard of, most wonderful.
inqui–et, –ète, anxious.
inquiétude, *f.*, anxiety.
inquisiteur, *m.*, inquisitor.
inscrire, to put down, enter, inscribe.
insensé, –e, foolish, rash.
insensiblement, imperceptibly.
insinuer, to insinuate.
insister, to insist.
inspirer, to inspire, prompt.
instance, *f.*, entreaty, earnestness.
instant, *m.*, instant.
instituer, to establish.
instructi–f, –ve, instructive.
instruction, *f.*, instruction, lesson.
instruire, to instruct, inform.
instruit, –e, acquainted with.
instrument, *m.*, instrument.
insultant, –e, insulting.
insulte, *f.*, insult.
insulter, to insult.
insurmontable, insurmountable, insuperable.
intègre, upright.

interdire, to forbid.
interdit, –e, speechless.
intéressant, –e, interesting.
intérêt, *m.*, interest.
interlocu–teur, –trice, speaker.
interroger, to question.
interrompre, to interrupt.
intervalle, *m.*, interval.
intime, intimate.
intimider, to intimidate.
intrépide, intrepid, fearless.
intrigant, intriguing.
introduire, to introduce, show in.
inutile, useless.
inutilement, in vain.
invective, *f.*, invective.
inventer, to invent.
inviolablement, inviolably.
inviter, to invite.
involontaire, involuntary.
irréconciliable, irreconcilable.
irriter, to irritate.
issue, *f.*, entrance, exit.
Italie(l'), *f.*, Italy.
italien, –ne, Italian.
itimadoulet, *m.*, first minister.

J

jaillir, to gush out, flash.
jalousie, *f.*, jealousy.
jalou–x, –se, jealous ; *noun,* jealous person.
jamais, never, ever.
jambe, *f.*, leg, foot.
jardin, *m.*, garden.
jarret, *m.* ham, shin; *fig.*, leg.
jaunâtre, yellowish.
jaune, yellow.
javelot, *m.*, javelin.
Jeannot, *m.*, Jack, Jacky.
jésuite, Jesuit.
jeter, to throw, drop ; se—, to throw oneself, jump.
jeu, *m.*, game, play, sport.
jeune, young.
jeunesse, *f.*, youth.

joie, *f.*, joy.
joindre, to join.
joint, –e, joined.
joli, –e, pretty.
Jonas, *m.*, Jonah.
jouer, to play.
jouir, to enjoy.
jour, *m.*, day, daylight, light.
journée, *f.*, day, day-time, day's work, day's journey.
judiciaire, judicial.
judicieu–x, –se, judicious.
juge, *m.*, judge, magistrate.
jugement, *m.*, judgment, sentence.
juger, to judge.
juillet, *m.*, July.
Jupiter, *n.*, Jupiter.
jurer, to swear.
jurisconsulte, *m.*, jurisconsult, lawyer.
jusque, jusqu'à, jusques à, even to, till, as far as, up to.
jusquiame, *f.*, henbane.
juste, just, fair, accurate ; au —, exactly.
justice, *f.*, justice, goodness, the law.
justifier, to justify, vindicate.

K

knout, *m.*, knout, whip.

L

là, there, thither.
là-bas, yonder, down below.
laborieu–x, –se, industrious.
laboureur, *m.*, husbandman.
lacet, *m.*, snare, noose.
lâche, cowardly.
lacté, –e, lacteal ; voie —e, the Milky Way.
là-dessus, upon that, thereupon.
laid, –e, ugly.

laisser, to leave, allow, let.
laisser faire, not to interfere.
lambeau, *m.*, shred, tatter.
lamenter, to bewail.
lance, *f.*, lance, spear.
langue, *f.*, language, tongue.
langueur, *f.*, languor.
languissant, –e, languid.
lapin, –e, rabbit. [lander.
lapon, –ne, Laplandish, Lap-
large, broad; *m.*, breadth.
larme, *f.*, tear.
las, lasse, weary, tired.
lasser, to tire out.
laver, to wash, bathe.
le, la, l', les, *art.*, the; *pron.*,
   him, her, it then.
lec-teur, –trice, reader.
lecture, *f.*, reading.   [swift.
lég-er, –ère, slight, frivolous,
légèreté, *f.*, lightness, nimble-
   ness, unsteadiness.
légitime, lawful, rightful.
leibnitzien, follower of Leibnitz.
lendemain, *m.*, the next day.
lent, –e, slow.
lequel, laquelle, lesquels, lesquelles, *rel. pron.*, who, that,
   whom, which.
lèse-majesté, high treason.
lettre, *f.*, letter.
lettré, lettered; *m.*, learned man,
   scholar.
leur, to them, them; *poss. adj.*,
   their; *pl.*, leurs.
levant, rising.
lever, to raise, lift up; se—, to
   get up, arise.
lèvre, *f.*, lip.
libéralement, freely.
libéra–teur, –trice, *m.*, deliverer.
liberté, *f.*, liberty.
libre, free.
lice, *f.*, lists, arena, tilt-yard.
lien, *m.*, band; *plur.*, bonds.
lier, to tie, fasten, enter into.
lieu, *m.*, place, stead; au — de,
   instead of.

lieue, *f.*, league.
ligne, *f.*, line (*here*=1/12 *inch*).
lire, to read, peruse.
liste, *f.*, list, roll.
lit, *m.*, bed.
livre, *m.*, book.
livre, *f.*, pound, livre, franc.
livrer, to deliver, give; se —,
   to give oneself up, indulge.
loge, *f.*, lodge, cell.
logement, *m.*, lodging.
loger, to lodge.
loi, *f.*, law.
loin, far.
long, –ue, long, slow; —, *m.*,
   length; à la longue, in the
   long run.
longtemps, long, a long time.
lorgner, to ogle.
lors, then.
lorsque, when.
louange, *f.*, praise.
louer, to praise.
louis, –d'or, old French coin
   worth about $4.60.
loyalement, faithfully.
lueur, *f.*, glimmer.
lui, he, it, to him, to her;
   —-même, himself, itself.
lumière, *f.*, light, knowledge.
lune, *f.*, moon, month.   [tacles.
lunette, *f.*, telescope; *pl.* spec-
Lyon, *m.*, Lyons.

M

mage, *m.*, magian, wise man of
   the East.
magistrat, *m.*, magistrate.
magnifique, magnificent.
magnifiquement, magnificently.
maille, *f.*, mesh, link of mail.
main, *f.*, hand.
maintenant, now.
mais, but.
maison, *f.*, house, home.
maître, *m.*, master, owner,

teacher; **petit-** —, coxcomb.

maîtresse, *f.*, mistress, lady.

majesté, *f.*, majesty.

majestueu-x, **-se,** majestic, stately.

mal, *m.*, evil, mischief, pain, sickness, trouble; *adv.*, badly, ill.

malade, ill, sick; sick person, patient.

maladie, *f.*, disease.

maladroit, -e, awkward.

malédiction, *f.*, curse.

malébranchiste, follower of the philosopher Malebranche.

mal-être, *m.*, discomfort.

malgré, in spite of.

malheur, *m.*, unhappiness, misfortune.

malheureu-x, -se, unhappy, unfortunate.

malheureusement, unfortunately.

malhonnête, dishonest.

malignité, *f.*, malice.

malpropre, unclean.

malsonnant, -e, ill-sounding.

manche, *m.*, handle; *f.*, sleeve.

manchon, *m.*, muff.

manger, to eat.

manière, *f.*, way, manner.

manifestement, manifestly.

manifester, to manifest.

manœuvre, *f.*, manœuvre, drill.

manquer, to fail, lack.

manteau, *m.*, cloak.

manuscrit, *m.*, manuscript.

marchand, -e, merchant.

marchandise, *f.*, merchandise, commodity.

marché, *m.*, market, bargain.

marcher, to walk, proceed.

mare, *f.*, pool, puddle.

mari, *m.*, husband.

mariage, *m.*, marriage.

marié, -e, married man, married woman.

marier, to marry; **se** —, to get married.

marque, *f.*, mark.

marquer, to mark, testify.

marquisat, *m.*, marquisate.

massacrer, to massacre.

matelot, *m.*, sailor.

mathématique, mathematical

matière, *f.*, matter.

matin, *m.*, morning.

maudire, to curse.

maudit, -e, cursed.

mauvais, -e, bad, mischievous.

me, me, to me.

méchant, -e, wicked, bad.

mécontentement, *m.*, discontent.

médecin, *m.*, doctor.

médecine, *f.*, medicine.

Médie(la), *f.*, Media.

médiocre, middling, mediocre.

médiocrement, moderately.

médire, to speak ill of, slander.

médisance, *f.*, slander, scandal.

médisant, -e, slanderous. [nean.

méditerranée, (la), mediterra-

mégarde; par —, by mistake.

meilleur, -e, better, best.

mélange, *m.*, mixture.

mêler, to mix, mingle; **se** —, to concern oneself with, interfere.

même, *adj.*, same; *adv.*, even; **de** —, in the same way; **quand** —, even if.

mémoire, *f.*, memory, recollection; *m.*, memorandum.

menacer, to threaten.

ménager, to spare.

ménagerie, *f.*, menagerie.

mendicité, *f.*, beggary.

mener, to lead, convey, take.

menton, *m.*, chin.

menu, -e, small.

méprendre (se), to be mistaken.

méprisable, despicable.

méprise, *f.*, mistake.

mépriser, to despise.

mer, *f.*, sea.

merci, *f.*, mercy; *m.*, thanks.

mère, *f.*, mother.

mérite, *m.*, merit, worth.

mériter, to deserve, earn.

merveilleu–x, –se, marvellous.

merveilleusement, admirably.

messieurs, *see* **monsieur.**

mesure, *f.*, measure; **à — que**, in proportion as.

mesuré, –e, measured.

mesurer, to measure; **se —**, to measure swords, try one's strength.

métairie, *f.*, farm.

métamorphose, *f.*, metamorphosis.

métaphysicien, –ne, metaphysician.

métaphysique, *f.*, metaphysics; *adj.*, metaphysical.

méthodiquement, methodically.

métier, *m.*, trade, handicraft, business.

mets, *m.*, viand.

mettre, to put; **se — à**, to begin.

meubler, to furnish.

meurtre, *m.*, murder.

mi, half.

midi, *m.*, noon, the south.

miel, *m.*, honey.

mien (le), **mienne (la)**, mine.

mieux, *adv.*, better, best; **à qui — —**, in emulation of each other.

mil, one thousand.

milieu, *m.*, middle, midst.

mille, *m.*, one thousand; mile.

millième, thousandth.

millier, *m.*, thousand.

mine, *f.*, look, bearing.

ministère, *m.*, office, minister's offices.

ministre, *m.*, minister.

miroir, *m.*, mirror.

misérable, wretch.

mite, *f.*, mite.

Mithra, in ancient Persian mythology, the god of light.

mobile, movable, moving.

mobilité, *f.*, mobility.

mode, *f.*, fashion; **à la —**, fashionable.

modèle, *m.*, model, pattern.

modéré, –e, moderate.

modérer, to moderate, restrain.

modestie, *f.*, modesty.

mœurs, *f.*, morals, habits.

moi, me, to me, myself.

moindre, *adj.*, less, least.

moins, *adv.*, less, least, except; **du —**, at least.

mois, *m.*, month.

moitié, *f.*, half.

mollement, luxuriously, softly.

mollesse, *f.*, softness, effeminacy, indolence.

momie, *f.*, mummy.

mon, **ma**, **mes**, my.

monarque, *m.*, monarch.

monde, *m.*, world, people, society; **tout le —**, everybody.

monseigneur, *m.*, my lord, your lordship, lord.

monsieur, (*pl.*, **messieurs**), *m.*, sir, gentleman, Mr.

monstre, *m.*, monster.

mont, *m.*, mount.

montagne, *f.*, mountain.

monté, –e, mounted. [up.

monter, to ascend, mount, take

montrer, to show.

moquer (se), to laugh at, make game of.

morale, *f.*, morality, ethics.

morceau, *m.*, piece.

mordre, to bite.

mors, *m.*, bit.

mort, *f.*, death; *m. f.*, corpse.

mortel, –le, mortal.

Moscou, *m.*, Moscow.

Moscovie (la), *f.*, Muscovy.

mot, *m.*, word, saying; **avoir le —**, to be in the secret; **bon —**, joke.

mouche, *f.*, fly.

mouiller, to wet.

mourant, –e, dying.

mourir, to die.
mouton, *m.*, sheep.
mouvement, *m.*, motion, impulse, movement, life, animation.
moyen, *m.*, means, way.
moyennant, by means of.
muet, –te, dumb, mute.
mufti, *m.*, (Turkish) mufti.
mulet, *m.*, mule.
multiplier, to multiply.
munir, to provide, arm.
murmure, *m.*, murmur.
murmurer, to murmur, grumble.
musicien, *m.*, musician.
musique, *f.*, music.
mutiler, to mutilate.
mutuellement, mutually.

N

nain, –e, dwarf.
naissance, *f.*, birth.
naissant, –e, new-born, rising.
naître, to be born.
naturel, *m.*, nature, disposition.
ne, not; **ne... pas**, not.
né, –e, *part.*, born.
néant, *m.*, nothingness.
nécessaire, necessary.
nécessité, *f.*, necessity.
négliger, to neglect.
négociant, *m.*, merchant.
nègre, *m.*, negro.
net, –te, clean, fair.
neu–f,— **ve**, new, newly made.
neuf, nine.
neveu, *m.*, nephew.
nez, *m.*, nose.
ni, nor; **ni . . . ni**, neither . . . nor.
nier, to deny.
noblement, nobly.
noblesse, *f.*, nobility.
noce, *f.*, wedding.
noir, –e, black.
nom, *m.*, name.

nombre, *m.*, number, a great many.
nombreu–x, –se, numerous.
nommer, to name; **se —**, to be called.
non, no, not.
nord, *m.*, the north.
notre, **nos**, our.
nôtre, (le, la, les **—s**), ours.
nourrir, to nourish.
nouveau, **nouvel**, –**le** new, recent, novel.
nouvelle, *f.*, news.
nouvellement, recently.
noyer, to drown, bathe, plunge.
nu, –e, naked, bare.
nuage, *m.*, cloud.
nuit, *f.*, night.
nul, –le, no, not one.
nulle part, nowhere; anywhere.

O

o, O! oh!   [fish god.
Oannès, **Oannes**, Babylonian
obéir, to obey.
objet, *m.*, object.
obliger, to oblige.
obscur, –e, dark.
obscurcir, to obscure.
observa–teur, –**trice**, observer.
observer, to observe.
obtenir, to obtain.
occasion, *f.*, occasion, opportunity.
occident, *m.*, west.   [tunity.
occupé, –e, taken up, occupied.
occuper, to occupy; **s'—**, to occupy oneself; **—la parole à**, to break in upon.
océan, *m.*, ocean.
odeur, *f.*, odor.
œil, *m.*, (*pl.*, **yeux**), the eye; **coup d'—**, glance.
œuvre, *f.*, work.
offenser, to offend.
officier, *m.*, officer.
offrir, to offer, give.

oiseau, *m.*, bird.

oisi-f, -ve, idle, idler.

on, l'on, one, we, people, you, they.

onagre, *m.*, wild ass.

once, *f.*, ounce.

oncle, *m.*, uncle.

ongle, *m.*, nail.

onze, eleven.

opéra, *m.*, opera. [advise.

opiner, to give one's opinion,

opiniâtre, obstinate, opinionated.

opiniâtreté, *f.*, obstinacy.

opium, *m.*, opium.

opposer, to oppose.

opprimer, to oppress.

or, *m.*, gold; *conj.*, now.

orage, *m.*, storm.

ordinaire, usual, ordinary; d'—, usually.

ordonnance, *f.*, order, prescription.

ordonner, to order.

ordre, *m.*, order.

oreille, *f.*, ear.

oreiller, *m.*, pillow.

organe, *m.*, organ.

orgueil, *m.*, pride.

orgueilleu-x, -se, arrogant, haughty.

orient, *m.*, the east, orient.

originairement, orginally.

origine, *f.*, origin.

ornement, *m.*, ornament.

orner, to adorn.

Orosmade, Ormuzd, the god of light, according to Zoroaster, opposed to Ahriman, the power of darkness.

oser, to dare.

ôter, to remove.

ou, or.

où, d'—, whither, where, when, whence.

oublier, to forget.

oui, yes.

ouïr, to hear.

ouragan, *m.*, hurricane.

ours, *m.*, bear.

ourse, *f.*, she-bear, Ursa.

outrager, to outrage, insult.

outre, *f.*, skin, goat skin.

outrer, to overstrain, incense.

ouvert, -e, open.

ouverture, *f.*, opening.

ouvrage, *m.*, work, piece, workmanship.

ouvrier, *m.*, workman.

ouvrir, to open.

ovale, *m.*, oval.

P

page, *f.*, page; *m.*, page (boy attendant).

paille, *f.*, straw.

pain, *m.*, bread.

pair, *m.*, peer.

paire, *f.*, pair.

paisiblement, quietly.

paître, to graze.

paix, *f.*, peace.

palais, *m.*, palace.

palefrenier, *m.*, groom.

pâleur, *f.*, paleness.

palmier, *m.*, palm-tree.

palpiter, to palpitate.

pâmer, to swoon.

panache, *m.*, plume.

panser, to dress, groom.

paon, *m.*, peacock.

papier, *m.*, paper.

par, by, through, out of, from.

paraître, to appear, stand forth.

parce que, because.

parcourir, to travel over *or* through.

pardonner, to forgive, pardon.

pareil, -le, alike, similar.

parent, -e, *m. f.*, relative, parent.

parer, to ward off, parry.

paresse, *f.*, idleness, laziness.

parfait, -e, perfect.

parfaitement, perfectly.

parfumer, to perfume; se —, to perfume one's person.

parler, to speak, talk.

parmi, among.

parole, *f.*, word, speech; **prendre la —,** to begin to speak.

part, *f.*, share, part; **nulle —,** nowhere, anywhere; **faire — à,** to inform; **être de —,** to have share in; **mettre de —,** to give a share in.

partage, *m.*, share.

partager, to divide, share.

partant, *obs.*, therefore.

parterre, *m.*, flower-bed.

parti, *m.*, party, decision, match.

particulie–r, **–ère,** particular, private.

partie, *f.*, part.

partir, to set out, start, proceed, leave.

partout, everywhere.

parure, *f.*, ornament, attire.

parvenir, to reach, arrive at, succeed in.

pas, *m.*, pace, step; *adv.*, not.

passablement, tolerably.

passag–er, **–ère,** passing, passenger.

passe, *f.*, pass.

passer, to pass; se —, to happen, dispense with.

passionné, –e, impassioned.

passionément, passionately.

pathétique, pathetic.

patiemment, patiently.

pâtiss–ier, **–ère,** pastry-cook.

patrie, *f.*, native land *or* place.

patron, *m.*, patron, employer.

patte, *f.*, paw.

pauvre, poor.

pauvreté, *f.*, poverty.

paver, to pave.

payer, to pay.

payeur, *m.*, payer.

pays, *m.*, country, land.

peau, *f.*, skin.

pêche, *f.*, peach.

pêche, *f.*, fishing.

péché, *m.*, sin.

pêcheur, *m.*, fisherman.

pédant, –e, pedant.

pédanterie, *f.*, pedantry.

peindre, to paint, portray.

peine, *f.*, pain, trouble; **à —,** hardly, scarcely.

peintre, *m.*, painter.

peinture, *f.*, painting.

pelle, *f.*, shovel.

penchant, *m.*, inclination.

pencher, to incline, lean.

pendant, during, for.

pendre, to hang.

pénétré, –e, penetrated, affected.

pénétrer, to penetrate, go through, concern.

pénible, painful, toilsome.

pénitence, *f.*, repentance.

pensée, *f.*, thought, idea.

penser, to think; **j'ai pensé être empalé,** I came near being impaled.

percer, to pierce, open.

perdre, to lose, defame, ruin.

père, *m.*, father.

péripatéticien, –ne, peripatetic.

périr, to perish.

périssable, perishable.

permettre, to allow.

permis, –e, lawful.

perroquet, *m.*, parrot.

Persan, –e, Persian.

Perse, *f.*, Persia; *adj.*, Persian.

persécuter, to persecute.

Persépolis, *m.*, Persepolis.

personnage, *m.*, personage.

personne, *f.*, person; **–ne,** *pron* no one, any one.

persuader, to persuade.

perte, *f.*, loss, ruin.

pervers, –e, perverse.

pesamment, heavily.

pesanteur, *f.*, weight, ponderousness.

peser, to weigh.

pestilentiel, –le, pestilential.

petit, –e, small, little.
petitesse, *f.*, littleness.
peu, little, few; **pour — que,** if only, however little; **— à —,** little by little.
peuple, *m.*, people, nation.
peupler, to populate.
peur, *f.*, fear.
peut-être, perhaps.
philosophale; la pierre —, the philosopher's stone.
philosophe, *m.*, philosopher.
philosopher, to philosophize.
philosophie, *f.*, philosophy.
physicien, *m.*, natural philosopher, physicist.
physionomie, *f.*, physiognomy.
physique, physical, bodily.
picotement, *m.*, prickling.
Pictaves, inhabitants of the province of Poitou.
pièce, *f.*, piece, room; **de toutes —s,** at all points.
pied, *m.*, foot; **–de roi,** foot-rule.
pierre, *f.*, stone; **une — de touche,** a touchstone.
pierreries, *f.*, precious stones.
piller, to plunder, pillage, crib.
pince, *f.*, tongs, crowbar.
pincettes, *f. pl.*, tongs, pincers.
pinnule, *f.*, sight-vane.
piquant, –e, pointed, prickly.
piquer, to prick; **se —,** to plume oneself.
piqûre, *f.*, prick, puncture.
pire, worse.
pis, *adv.*, worse, the worst.
pitié, *f.*, pity; **quelle —,** what a paltry thing!
place, *f.*, place, room, office, market, square.
placer, to place. [ket, square.
plaider, to plead.
plaideu–r, **—se,** litigant.
plaie, *f.*, wound. [plain.
plaindre, to pity; **se —,** to complain.
plaine, *f.*, plain.
plainte, *f.*, complaint, groaning.
plaire, to please; **à Dieu ne**

plaise! God forbid! **plût au ciel!** would to heaven!
plaisamment, humorously.
plaisant, –e, pleasant, humorous, laughable, diverting.
plaisanterie, *f.*, pleasantry, practical joke.
plaisir, *m.*, pleasure.
planète, *f.*, planet.
plante, *f.*, plant.
plat, –e, flat.
plébéien, –ne, plebeian.
plein, –e, full, filled.
pleinement, fully.
pleur, *m.*, *poet.*, lament.
pleurer, to weep.
plomb, *m.*, lead.
plonger, to plunge, dip.
pluie, *f.*, rain.
plume, *f.*, feather, pen.
plupart, (la), *f.*, most, the greatest part.
plus, more; **de —,** moreover.
plusieurs, several, many.
plutôt, rather.
poche, *f.*, pocket.
poésie, *f.*, poetry.
poète, *m.*, poet.
poids, *m.*, weight.
poignard, *m.*, dagger.
point, *adv.*, not, no; *m.*, point; **à — nommé,** in the nick of time; **le — du jour,** day-break.
pointe, *f.*, point.
pointu, –e, pointed, sharp.
poisson, *m.*, fish.
poitrine, *f.*, chest.
polaire, polar.
pôle, *m.*, *(astr.)*, pole.
poli, –e, polite, polished.
policé, –e, polished, civilized.
poliment, politely.
politesse, *f.*, politeness.
pompe, *f.*, pomp.
pont, *m.*, bridge.
pontife, *m.*, pontiff.
porcelaine, *f.*, china.
pore, *m.*, pore.

porte, _f._, door, gate.
porté, –e, inclined, disposed.
porter, to bear, enact.
porteu–r, –se, bearer.
portier, _m._, porter, doorkeeper.
portière, _f._, coach-door.
portion, _f._, portion, share.
portrait, _m._, picture, portrait.
poser, to place.
positi–f, –ve, positive.
posséder, to possess, own.
poste, _f._, post, post-office.
postérité, _f._, posterity.
postillon, _m._, postilion.
pouce, _m._, thumb, inch.
poule, _f._, hen.   [order to.
pour, for, on account of, as, in
pourpre, purple.
pourquoi, why.
pourri, –e, rotten.
pourrir, to rot.
pourriture, _f._, rottenness.
poursuite, _f._, pursuit.
poursuivre, to pursue, persecute.
pourvoir, to provide.
pourvu que, provided that.
pousser, to push, utter, hit.
poussière, _f._, dust.
pouvoir, to be able.
prairie, _f._, meadow.
pratique, _f._, customer.   [with.
pratiquer, to practise, associate
précaution, _f._, precaution.
précéder, to precede.
précepte, _m._, precept.
précepteur, _m._, teacher.
prêcher, to preach.
précieu–x, –se, precious.
précipitamment, precipitately.
précipité, –e, hurried.
précipiter, to hurl; se —, to
    fling oneself headlong, rush
    down.
précisément, precisely.
prédicateur, _m._, preacher.
prédire, to foretell.
préférer, to prefer.
préjugé, _m._, prejudice.

prémices, _f._, first-fruits.
premie–r, –ère, best, first,
    former.
prendre, to take, grasp, borrow;
    s'y —, to go _or_ set about it;
    bien lui prit _or_ lui en prit, it
    was lucky for him.
préparer, to prepare; se —, to
    prepare.
près, près de, near, close to, on
    the point of; à cela —, this
    excepted; à beaucoup —, not
    nearly.
présager, to forbode.
prescrire, to prescribe.
présence, _f._, presence, sight.
présenter, to present; se —, to
    present oneself.
préserver, to preserve.
présider, to preside.
presque, almost, nearly.
presse, _f._, throng, press; sous
    —, in the press.
pressé, –e, hurried, crowded.
presser, to be urgent, press,
    tread down.
prêt, –e, ready.
prétendant, –e, claimant, suitor.
prétendre, to pretend to, claim,
    mean.   [tious.
prétendu, –e, so-called, ficti-
prêter, to lend, ascribe.
prêtre, _m._, priest.
prévenir, to precede, prevent,
    anticipate, warn.
prévoyance, _f._, foresight.
prier, to pray, beseech, invite.
prière, _f._, prayer.
primiti–f, –ve, primitive.
princesse, _f._, princess.
principe, _m._, principle.
printemps, _m._, springtide, spring.
prise, _f._, hold, influence; — de
    corps, arrest.
prisonni–er, –ère, prisoner.
priver, to deprive.
prix, _m._, price, reward, prize;
    à vil —, under price.

probablement, probably.
probité, *f.*, integrity.
procès, *m.*, lawsuit, trial.
proclamer, to proclaim.
procureur, *m.*, attorney.
prodigalité, *f.*, prodigality.
prodige, *m.*, prodigy.
prodigieusement, prodigiously.
prodigieu-x, –se, prodigious, stupendous.
prodiguer, to lavish, squander.
produire, to produce.
proférer, to utter.
profit, *m.*, profit.
profiter, to profit, improve.
profond, –e, deep, profound.
profondeur, *f.*, depth.
profusion, *f.*, profusion.
proie, *f.*, prey; en — à, prey to.
projet, *m.*, project, design.
promenade, *f.*, walk.
promener, to take out for a walk, take a walk; se —, to take a drive, a ride *or* walk.
promesse, *f.*, promise.
promettre, to promise.
prompt, –e, speedy, ready.
prononcer, to utter, pronounce.
prophète, *m.*, prophet.
prophétiser, to prophesy.
propice, propitious.
proportionner, to proportion.
propos, *m.*, discourse, remark; à —, opportunely, to the purpose.
proposer, to propose.
proposition, *f.*, proposal, proposition.
propre, own, very, self-same, fit, clean, neat, tidy, appropriate.
proprement, cleanly, nicely.
propriété, *f.*, property.
prospérer, to prosper.
prosterner (se), to prostrate oneself.
protéger, to protect.
prouver, to prove.
province, *f.*, province, country.

provision, *f.*, supply.
prudent, –e, prudent.
prunelle, *f.*, eye-ball.
Prusse (la), *f.*, Prussia.
publier, to publish.
publiquement, publicly.
puce, *f.*, flea.
puis, then.
puisque, since, as.
puissamment, powerfully, very.
puissance, *f.*, power.
puissant, –e, powerful.
punir, to punish.
punition, *f.*, punishment.
pupille, *m. f.*, ward, pupil.
pur, –e, pure, genuine.

Q

quai, *m.*, wharf.
qualité, *f.*, quality, rank.
quand, when; (*with conditional*) even if; — même, even though, even if.
quant à, as for, as to.
quarante, forty.
quart, *m.*, quarter, fourth; — de cercle, quadrant.
quatorze, fourteen.
quatre, four.
quatre-vingts, eighty.
quatrième, fourth.
que, *rel. pron.*, whom, that, which, what? *conj.*, that, than; *adv.*, how? how much?
quel, –le, what, who, which.
quelque, some, any, a few, whatever.
quelquefois, sometimes.
quelqu'un, –e, some one, somebody.
querelle, *f.*, quarrel.
quereller, to quarrel, scold; se —, to quarrel.
queue, *f.*, tail.
qui, who, whom, that, whoever, which, what

quinze, fifteen.
quitter, to leave, part from.
quoi, which, that, what; de —, wherewith; — qu'il en soit, at all events.
quoique, though, although.

R

raccommoder, to mend, reconcile.
raconter, to relate.
raffermir, to harden, buoy up.
rafraîchir, to refresh, renew.
rage, f., rage, fury.
raillerie, f., raillery.
raison, f., reason, sense.
raisonnable, reasonable.
raisonnement, m., reasoning.
raisonner, to reason, argue.
raisonneu–r, –se, reasoner, dialectician.
rajuster, to set to rights.
ramasser, to gather up.
ramener, to bring back.
ramper, to crawl.
rang, m., row, rank, station.
ranimer, to revive, recruit.
rapidement, rapidly.
rappeler, to recall.
rapport, m., account, report.
rapporter, to bring back, relate; s'en —, to refer the matter to.
rare, uncommon, rare.
rarement, rarely.
raser, to shave, skim along.
rasoir, m., razor.
rassasier, to satisfy.
rassembler, to collect, call together; se —, to meet, gather.
rassurer (se), to take heart again, be reassured.
rate, f., spleen.
rauque, hoarse.
ravager, to ravage, lay waste.
ravir, to carry off, enrapture, delight.

ravissant, –e, charming.
ravisseur, m., ravisher.
rayer, to scratch out.
rayon, m., ray.
réalité, f., reality.
rebâtir, to rebuild.
rebondi, –e, plump, chubby.
rebut, m., refuse.
récent, –e, recent, new, late.
receveur, m., receiver.
recevoir, to receive.
recherche, f., search, quest.
réciproque, reciprocal.
récit, m., narration, story.
réciter, to recite, relate.
réclamer, to claim back.
recommandation, f., recommendation, esteem.
recommander, to recommend, request.
recommencer, to begin again.
récompense, f., reward.
récompenser, to reward.
réconcilier, to reconcile.
reconduire, to take back, go back with.
reconnaissance, f., recognition, gratitude.
reconnaissant, –e, grateful.
reconnaître, to recognize, discover.
recouvrer, to recover.
recouvrir, to cover up again.
récrier (se), to cry out loudly, protest.
recruter, to recruit.
reculé, –e, remote.
reculer, to draw back, recoil.
redemander, to ask back, ask again.
rédiger, to draw up.
redire, to repeat, find fault; trouver à —, to find fault.
redoublement, m., paroxysm.
redoubler, to increase.
redouter, to dread, fear.
réduire, to reduce.
réellement, really.

réfléchir, to reflect.
réflexion, *f.*, reflection, thought.
refluer, to flow back.
reflux, *m.*, ebb.
réformer, to reform, reverse.
refrain, *m.*, chorus.
réfugier (se), to take refuge.
refus, *m.*, refusal, denial.
refuser, to refuse.
regagner, to recover, get back to.
regard, *m.*, look, glance.
regarder, to look at, consider, face.
régime, *m.*, regimen, diet, system.
régler, to regulate.
régner, to reign.
regretter, to regret.
réguli-er, –ère, regular.
rein, *m.*, the loins, back.
reine, *f.*, queen.
réitérer, to reiterate.
rejoindre, to rejoin; se —, to meet again.
réjouir, to gladden, cheer.
relever, to raise up, set off; se —, to stand up.
religieu-x, –se, religious; *noun*, friar, nun.
remarque, *f.*, remark.
remarquer, to notice.
remède, *m.*, remedy.
remercier, to thank.
remettre, to put back; se —, to recover.
remonter, to reascend, get up again, go back, remount.
remontrance, *f.*, remonstrance.
remontrer, to show again, point out.
remplir, to fill.
rempli, –e, filled.
remporter, to carry away, win.
remuer, to move.
renaître, to be born again, revive.
rencontrer, to meet, encounter.

rendez-vous, *m.*, appointment, rendez-vous, time of meeting, place of meeting.
rendormir (se), to go to sleep again.
rendre, to make, return, restore, yield; se —, to go, repair, come, become, yield.
renfermer, to shut up, confine.
renommé, –e, renowned.
renommer, to celebrate.
renoncer, to renounce, give up.
rente, *f.*, income. [turn.
rentrer, to recover, reenter, re-
renverse (à la), backwards.
renverser, to throw down, knock down, turn.
renvoyer, to send again, return.
répandre, to pour out, spread; se —, to spread, launch out.
reparaître, to reappear.
réparer, to mend, make up for.
repartir, to answer, go away again.
répartir, to distribute.
repas, *m.*, meal.
repasser, to repass, rehearse.
repentir (se), to repent.
répéter, to repeat, rehearse.
replier, to fold up; se —, to fall back.
répliquer, to reply.
répondre, to answer, reply; to be security.
réponse, *f.*, answer.
reposer, to rest, repose; se —, to rest.
repousser, to thrust back, spurn, resent.
reprendre, to return, reply.
représenter, to represent, perform.
reprise, *f.*, renewal, return; à plusieurs —s, several times, over and over again.
reproche, *m.*, reproach.
reprocher, to reproach; se —, reproach oneself with.

répudier, to put away.
répulsi-f, -ve, repulsive.
réserver, to reserve.
résider, to live.
résister, to resist.
résolument, resolutely.
résoudre, to resolve.
respecter, to respect.
respirer, to breathe, long for.
resplendissant, -e, resplendent.
ressembler, to be like, resemble.
ressentir, to feel, betoken.
resserrer, to narrow, contract.
ressource, f., resource, shift.
ressouvenir (se), to recollect.
reste, m., remainder.
rester, to remain, stay.
résultat, m., result.
résulter, to result.
retenir, to withhold, keep back, deduct.
retentir, to ring, echo.
retiré, -e, secluded.
retirer, to withdraw, pull back; se —, to retire, withdraw.
retour, m., return, coming back, reverse, change.
retourner, to return; se —, to turn round; s'en —, to return.
retracer, to trace again, recall.
retraite, f., retreat.
retrouver, to find again, recover.
réunir, to reunite, bring together.
réussir, to succeed.
réveiller, to awake, rouse.
revendre, to sell again.
revenir, to come back, return, accrue.
revenu, m., revenue.
rêver, to dream, think.
révérence, f., reverence, bow.
révérer, to revere, reverence.
rêverie, f., revery.
revêtir, to clothe, array.
revoir, to see again.
révolte, f., rebellion.
révolter, to revolt.
révolution, f., revolution.

Rhin (le), m., the Rhine.
riche, rich, costly.
richesse, f., wealth.
rideau, m., curtain.
ridicule, ridiculous.
rien, m., nothing, not anything
rire, to laugh; noun, laughter.
rivage, m., shore.
rive, f., bank.
rivière, f., river.
robe, f., gown, robe, the law; — de chambre, dressing-gown.
robuste, sturdy, athletic, strong
rocher, m., rock.
rognure, f., paring.
roi, m., king.
roman, m., novel.
rompre, to break.
rond, -e, round.
ronger, to gnaw, prey upon.
rosée, f., dew.
roue, f., wheel.
rouge, red.
rougeur, f., redness, flush.
rougir, to grow red, be ashamed
roulant, -e, rolling, easy.
rouler, to revolve, turn.
roupie, f., rupee.
route, f., road, way.
rouvrir, to open again.
royal, -e, royal.
royaume, m., kingdom.
ruban, m., ribbon.
rubis, m., ruby.
rude, harsh, rude.
ruine, f., ruin.
ruiner, to ruin.
ruisseau, m., brook.
rusticité, rusticity, boorishness

S

Sabée, f., Sheba.
sable, m., sand.
sabot, m., hoof.
sabre, m., broad-sword.
saccager, to plunder.

sachet, *m.*, bag.
sacré, –e, sacred.
sacrifier, to sacrifice.
sagacité, *f.*, sagacity, acuteness.
sage, wise, sensible, discreet; *m.*, wise man.
sagement, wisely.
sagesse, *f.*, wisdom, good sense.
saint, –e, holy, sainted, saintly; *m.*, saint.
saisir, to lay hold of, seize; se —, to seize, lay hold.
saisissement, *m.*, shock.
saison, *f.*, season.
sale, dirty.
salon, *m.*, drawing-room.
saluer, to salute, greet.
salut, *m.*, safety, salvation; bow.
salutaire, salutary.
sang *m.*, blood.
sang-froid, *m.*, coolness, composure, presence of mind.
sanglant, –e, bloody, bleeding.
sanglot, *m.*, sob.
sangloter, to sob.
sans, without, but, besides.
santé, *f.*, health.
satisfaire, to satisfy.
satisfait, –e, satisfied.
satrape, *m.*, satrap.
Saturne, *m.*, Saturn.
saut, *m.*, leap.
sauter, to jump.
sauvage, wild, savage.
sauver, to save; se —, to escape.
sauveur, *m.*, deliverer.
savant, –e, learned, knowing, wise.
savoir, to know, know how.
scélérat, villanous, rascally; *m.*, villain, wretch.
sceptre, *m.*, sceptre.
science, *f.*, knowledge, science.
scrupule, *m.*, scruple.
sculpteur, *m.*, sculptor.
Scythie (la), *f.*, Scythia.
se, himself, herself, itself, themselves, oneself; to himself, *etc.*

sec, sèche, dry, unfeeling.
seconde, *f.*, second.
secouer, to shake.
secourir, to help.
secours, *m.*, help, succor.
secr–et, –ète, secret.
secret, *m.*, secret.
secrétaire, *m.*, secretary.
secrètement, secretly.
sectateur, *m.*, votary.
secte, *f.*, sect.
secteur, *m.*, sector.
sédentaire, sedentary.
seigneur, *m.*, lord.
sein, *m.*, bosom; (*fig.*) midst.
séjour, *m.*, abode.
selle, *f.*, saddle.
selon, according to, pursuant to.
semblable, similar; *m.*, fellow-creature.
semblant, *m.*, appearance; faire —, to seem, pretend.
sembler, to seem, appear.
semer, to sow, strew.
sens, *m.*, sense, judgment, direction.
sensibilité, *f.*, sensitiveness.
sensible, tender, lively, sensitive, perceptible.
sentence, *f.*, sentence, maxim.
sentiment, *m.*, feeling, sentiment, opinion.
sentir, to feel, perceive, savor of.
seoir, to be becoming; *condl.* siérait.
séparé, –e, separate, apart.
séparément, separately.
séparer, to separate; se —, to separate, part.
sept, seven.
septentrional, –e, northern.
sérail, *m.*, seraglio.
Serendib, ancient name of Ceylon.
serment, *m.*, oath.
serpent, *m.*, snake.
serrer, to tighten, squeeze, put by *or* away.

serviable, obliging.

service, *m.*, service, course.

servir, to serve; se —, to wait upon oneself, make use of.

serviteur, *m.*, servant.

seul, –e, only, alone.

seulement, only.

sévère, severe, stern.

si, if, so, whether, yes.

siècle, *m.*, century.

sien, sienne, (le, la), siens, siennes, (les), his, his own, her, her own, its own, one's own. [tain Mr. Paul.

sieur, *m.*, Mr. un — Paul, a cer-

signaler, to signalize.

signe, *m.*, sign, nod.

signer, to sign.

signifier, to signify, mean.

singuli–er, –ère, singular.

sinistre, sinister, inauspicious.

sire, *m.*, sire.

sirène, *f.*, mermaid, siren.

Sirien, –ne, inhabitant of Sirius.

situé, –e, situated.

sobre, abstemious, sober.

sobriété, *f.*, abstemiousness.

société, *f.*, society.

sœur, *f.*, sister. [self, itself.

soi, soi-même, oneself, himself,

soie, *f.*, silk.

soigneu–x, –se, careful, mindful.

soigneusement, carefully.

soin, *m.*, care.

soir, *m.*, evening.

soirée, *f.*, evening.

soixante, sixty.

soldat, *m.*, soldier.

soleil, *m.*, the sun.

solennel, –le, solemn.

solennellement, solemnly.

solennité, *f.*, solemnity.

solide, solid, strong.

sombre, gloomy.

somme, *f.*, sum, compendium.

sommeil, *m.*, sleep.

son, sa, ses, his, her, its, one's.

son, *m.*, sound.

songe, *m.*, dream.

songer, to dream, muse, think.

sorcier, *m.*, sorcerer.

sort, *m.*, fate, lot, condition.

sorte, *f.*, kind, sort, species; de — que, so that.

sortir, to go out, walk out, come out, escape, gush out.

sortir, *m.*, leaving, quitting.

sot, –te, foolish, senseless.

sou, sol, *m.*, sou, halfpenny.

soucier, to disturb; se —, to care, be anxious.

soudain, –e, sudden, suddenly.

souffrir, to endure, permit, suffer.

souhaiter, to wish, wish for.

soulagement, *m.*, relief.

soulager, to relieve. [to revolt.

soulever, to raise, lift up; se —,

soumettre, to subject; se —, to submit, yield.

soumis, –e, submissive.

soupçon, *m.*, suspicion, distrust.

soupçonnner, to suspect.

souper, to eat supper.

souper, *m.*, supper.

soupir, *m.*, sigh.

source, *f.*, spring, source.

sourd, –e, deaf.

sourire, to smile.

sourire, *m.*, smile.

souris, *f.*, mouse.

sous, under.

soutenir, to hold up, maintain.

souvenir (se), to remember; il me souvient, I remember.

souvent, often.

souverain, –e, sovereign.

spécifique, specific.

spirituel, –le, witty, intelligent.

station, *f.*, station, halt.

stupéfait, –e, stupefied, amazed.

subalterne, inferior.

subitement, suddenly.

subjuguer, to subjugate.

submerger, to submerge.

subordonné, –e, subordinate

subside, *m.*, subsidy.

subsister, to subsist, continue.
substance, *f.*, substance.
substantiel, –le, substantial.
subtil, –e, subtile, acute.
subtilité, *f.*, acuteness.
successeur, *m.*, successor.
successivement, in succession.
succomber, to sink, faint.
sud, *m.*, the south.
suer, to sweat.
sueur, *f.*, perspiration, sweat.
suffire, to suffice.
suffoquer, to suffocate, stifle.
suite, *f.*, continuation, set, co-
   herency, series, consequence;
   tout de —, at once; de —, in
   succession.
suivre, to follow, attend to.
sujet, –te, subject, inclined; *m.*,
   subject, cause.
sultan, –e, *m. f.*, sultan, sultana.
superbe, gorgeous, superb.
supérieur, –e, upper, superior.
supériorité, *f.*, superiority.
supplice, *m.*, punishment.
supplier, to entreat.
sûr, –e, sure, certain.
sur, on, upon, over, above; —
   le-champ, forthwith.
surcharger, to overburden.
sûreté, *f.*, safety, sureness.
surnaturel, –le, supernatural.
surtout, above all, chiefly.
survenir, to come on, come up.
suspect, –e, suspicious, sus-
   pected.
suspens, suspended; en —, in
   suspense.
symptôme, *m.*, token, sign.
Syrie (la), *f.*, Syria.
syrien, –ne, Syrian.
système, *m.*, system.

T

tableau, *m.*, picture.
tablette, *f.*, tablet, memoran-
   dum-book.

tâcher, to strive, try.
taille, *f.*, cut, size, height, tax;
   obs., edge (of a sword).
tailler, to cut.
tailleur, *m.*, tailor.
taillon, *m.*, kind of tax.
taire, to suppress; se —, to
   hold one's tongue, keep silence.
talon, *m.*, heel.
tambour, *m.*, drum, drummer.
tandis que, while, whilst.
tant, so much, so many, as well
   as, so long, as far.
tante, *f.*, aunt.
tantôt, now, presently, a little
   while ago.
tapis, *m.*, carpet, rug.
tard, late.
tarder, to delay.
tas, *m.*, heap.
tâter, to feel.
taupinière, *f.*, mole-hill.
taureau, *m.*, bull.
taxer, to tax.
te, *pron.*, thee, to thee.
teint, *m.*, color, complexion.
tel, –le, such, like, as; tellement,
   so.
téméraire, rash, rash person.
témoignage, *m.*, witness, testi-
   mony.
témoigner, to testify, show.
témoin, *m.*, witness.
tempérer, to temper.
tempête, *f.*, tempest, storm.
temps, *m.*, time, season, weather.
tendre, tender, fond, loving.
tendre, to stretch.
tendrement, tenderly.
tendresse, *f.*, tenderness.
tendu, –e, stretched.
ténèbres, *f. plur.*, darkness,
   gloom.
tenir, to hold, owe, keep; il
   tient, *imp.*, to depend upon.
tentation, *f.*, temptation.
tente, *f.*, tent, pavilion.

tenter, to tempt, try.
terme, *m.*, term.
terminer, to end, conclude.
terre, *f.*, the earth.
terrestre, terrestrial.
tête, *f.*, head.
tête-à-tête, *m.*, private inter-
view, alone with.
théatin, –e, *m.f.*, theatin, (monk
or nun).
théurgite, *m. f.*, theurgist, magician.
tien (le), tienne (la), thine, yours.
tigre, *m.*, tiger.
tirer, to draw, obtain, extract,
tend, verge.
titre, *m.*, title.
toile, *f.*, linen, web, cloth.
toise, *f.*, six feet, fathom.
tombe, *f.*, tomb, grave.
tombeau, *m.*, tomb, grave.
tomber, to fall.
tombereau, *m.*, cart.
ton, ta, tes, thy, your.
ton, *m.*, tone.
tonneau, *m.*, cask.
tonnerre, *m.*, thunder.
tordre, to wring.
tort, wrong.
tortue, *f.*, tortoise.
touchant, –e, affecting, touch-
ing.
touche, *f.*, touch, assay.
toucher, to touch, approach.
toujours, always, ever, still, all
the same.
tour, *m.*, turn, round, compass,
trick ; — à —, by turns.
tourment, *m.*, torment, anguish.
tourmenter, to torment.
tourner, to turn ; se —, to turn
(oneself) round, become.
tourte, *f.*, tart, pie.
tout, toute, *pl.*, tous, toutes,
all, whole; *noun*, everything;
adv., wholly, entirely, thor-
oughly.
tracasserie, *f.*, worry, bickering.

trace, *f.*, trace, track.
tracer, to trace.
traduction, *f.*, translation.
traduire, to translate, explain,
indict.
tragédie, *f.*, tragedy.
trahir, to betray.
trait, *m.*, shaft, dart, trait, fea-
ture.
traiter, to treat, use.
tranquille, quiet, peaceful.
tranquillement, tranquilly.
transport, *m.*, transport, rapture.
transporter, to transport, remove.
travail, *m.*, labor, toil.
travailler, to labor.
travers, *m.*, breadth ; à —,
through.
traverser, to traverse.
treize, thirteen.
tremblant, –e, trembling.
trembler, to tremble.
trentaine, *f.*, about thirty.
trente, thirty.
très, very, much.
trésor, *m.*, treasure, treasury.
trésori-er, –ère, treasurer.
tressaillir, to tremble.
tribu, *f.*, tribe.
tribunal, *m.*, court of justice.
triompher, to triumph.
triple, *m.*, triple, three-fold.
triste, sad, mournful.
trois, three.
troisième, third.
tromper, to deceive; se —, to
be mistaken.
trompette, *f.*, trumpet; *m.*,
trumpeter.
trône, *m.*, throne.
trop, too much, too many, over,
too long, too, very well, exactly.
troupe, *f.*, troop, company.
trouver, to find, meet with,
chance upon ; se —, to find
oneself, be.

tuer, to slay; se —, to kill one-self.

tumulte, *m.*, tumult.

tumultueu-x, -se, tumultuous.

turlupinade, *f.*, scurvy jest.

Turquie (la), *f.*, Turkey.

tuyau, *m.*, pipe.

Tyr, *f.*, Tyre.

tyran, *m.*, tyrant.

tyrannie, *f.*, tyranny

U

un, -e, a, an; one.

unanime, unanimous.

uniformité, *f.*, uniformity.

unique, only, sole.

uniquement, only, solely.

unir, to unite; s' —, to join.

univers, *m.*, universe.

usage, *m.*, custom, use.

user, to use, wear out; en —, to act, behave.

ustensile, *m.*, utensil.

usure, *f.*, usury.

usuri-er, -ère, usurer.

utile, useful.

V

vaillant, -e, valiant.

vaincre, to overcome, conquer.

vainqueur, *m.*, conqueror, vic-tor; *adj.*, victorious.

vaisseau, *m.*, vessel.

valet, *m.*, footman, valet.

valeur, *f.*, value, valor.

valoir, to be worth, to procure; — mieux, to be better.

vanité, *f.*, vanity.

vanter, to praise; se —, to boast.

varié, -e, varied.

variété, *f.*, variety.

vase, *m.*, vase; *f.*, mud.

vaste, vast, immense, wide.

vaudeville, *m.*, vaudeville, bal-lad, comic song.

vautour, *m.*, vulture.

vécu, *past part.* vivre, lived.

veille, *f.*, day before.

veiller, to watch.

velours, *m.*, velvet.

vendre, to sell.

veneur, *m.*, huntsman.

vengeance, *f.*, revenge.

venger, to avenge; se —, to be revenged.

vengeur, avenging.

venir, to come; — de, *w. infini-tive*, to have just; il vient de partir, he has just gone away.

vent, *m.*, wind.

vente, *f.*, sale; en —, for sale.

ventre, *m.*, stomach, womb.

véritable, true, genuine.

véritablement, truly.

vérité, *f.*, truth.

vermine, *f.*, vermin.

vers, *m.*, verse, line; *prep.*, towards.

verser, to pour, shed.

vert, -e, green.

vertu, *f.*, virtue, property.

vertueu-x, -se, virtuous.

vestale, *f.*, vestal.

veste, *f.*, vest, jacket.

vestibule, *m.*, entrance, hall.

vêtement, *m.*, garment.

vétillard, -e, trifler.

vêtir, to clothe, robe.

veu-f, -ve, widower, widow.

veuvage, *m.*, widowhood.

vicaire, *m.*, vicar.

victoire, *f.*, victory.

vide, empty.

vie, *f.*, life, livelihood.

vieillard, *m.*, old man.

vieillir, to grow old.

vieux, vieil, *m.*, vieille, *f.*, old; *noun*, old man, old woman.

vi-f, -ve, alive, lively, passion-ate, sharp.

vil, -e, vile, despicable, low.

vilain, -e, nasty, villanous, ugly.

ville, *f.*, town, city.

vin, *m.,* wine.
vingt, twenty.
vingtième, *m.,* twentieth.
violemment, violently.
violence, *f.,* fury.
violent, –e, violent, passionate.
violer, to violate.
violon, *m.,* violin, violin player.
visage, *m.,* face, countenance, aspect.
vis-à-vis, opposite.
vision, *f.,* vision.
visite, *f.,* visit, call.
visiter, to inspect.
vite, *adv.,* swift; **au plus —,** as fast as possible, quickly.
Vitsnou, Vishnu.
vivant, –e, living; *m.,* person living.
vivement, keenly, strongly.
vivifier, to vivify, quicken.
vivre, to live.
vizir, *m.,* vizier.
vœu, *m.,* vow, wish, prayer.
voguer, to move forward, sail.
voici, here is, here are.
voie, *f.,* way, road; **— de fait,** violence.
voilà, behold, there is.
voile, *m.,* veil; *f.,* sail.
voir, to see.
voisin, –e, neighboring, neighbor.
voisinage, *m,* neighborhood.
voiture, *f.,* vehicle, carriage.
voix, *f.,* voice, vote, singer; **aller aux —,** to come to the vote.

vol, *m.,* flight, theft.
volée, *f.,* flight, flock.
voler, to fly, soar, steal, rob.
voleur, *m.,* thief.
volonté, *f.,* will.
volontiers, willingly.
volte, *f.,* volt.
voltiger, to flutter about.
volume, *m.,* bulk, volume.
volupté, *f.,* voluptuousness.
voluptueu-x, –se, voluptuous.
votre, your; *plur.* vos.
vôtre (le), (la), vôtres (les), yours, your own.
vouloir, to will, require, wish; **— dire,** to mean.
vous, you, to you.
voûte, *f.,* arch, roof.
voyage, *m.,* journey, voyage.
voyager, to travel.
voyageu-r, –se, traveller.
vrai, –e, true, genuine, downright.
vue, *f.,* sight, design, eyes.

Y

y, *adv.,* there, thither, at home; *pron.,* him, her, it, them, in it, to him, *etc*
yeux, *pl. of* œil, eye.

Z

zèle, *m.,* zeal.
Zend, *m.,* Zend.
Zoroastre, *m.,* Zoroaster.